これで完璧！

Jw_cad
基本作図
ドリル

［Jw_cad8対応版］

X-Knowledge

櫻井良明

著

本書をご購入・ご利用になる前に必ずお読みください

● 本書の内容は、執筆時点（2023年4月）の情報に基づいて制作されています。これ以降に製品、サービス、その他の情報の内容が変更されている可能性があります。また、ソフトウェアに関する記述も執筆時点の最新バージョンを元にしています。これ以降にソフトウェアがバージョンアップされ、本書の内容と異なる場合があります。

● 本書は、「Jw_cad」の操作を習得するための解説書です。本書の利用に当たっては、「Jw_cad」がインストールされている必要があります。Jw_cadのインストール方法はp.7を参照してください。なお、Jw_cadの機能を詳しく解説しておりません。詳しい機能は該当本を参照ください。

● 本書で解説しているフリーソフト「Jw_cad」については無償のため、作者、著作権者、ならびに株式会社エクスナレッジはサポートを行っておりません。また、ダウンロードやインストールについてのお問合せも受け付けておりません。

● 本書は、パソコンやWindows、インターネットの基本操作ができる方を対象としています。

● 本書は、Windows 10がインストールされたパソコンで「Jw_cad Version 8.25a」（以降「Jw_cadバージョン8.25a」と表記）を使用して解説を行っています。ご使用のOSのバージョンによって、画面や操作方法が本書と異なる場合がございます。

● 本書ではWindows 10でJw_cadバージョン8.25aを使用した環境で動作確認を行っております。これ以外の環境での動作は保証しておりません。

● 本書を利用したことによるいかなる損害に対しても、データ提供者（開発元・販売元・作者など）、著作権者、ならびに株式会社エクスナレッジでは、一切の責任を負いかねます。個人の責任においてご使用ください。

● 本書に直接関係のない「このようなことがしたい」「このようなときはどうすればよいか」など特定の操作方法や問題解決方法、パソコンやWindowsの基本的な使い方、ご使用の環境固有の設定や機器に関するお問合せは受け付けておりません。本書の説明内容に関するご質問に限り、p.239の「FAX質問シート」にて受け付けております。

以上の注意事項をご承諾いただいたうえで本書をご利用ください。ご承諾いただけずお問合せをいただいても、株式会社エクスナレッジおよび著作権者はご対応いたしかねます。あらかじめご了承ください。

Jw_cadについて

Jw_cadは無料で使用できるフリーソフトです。そのため株式会社エクスナレッジ、著作権者、データの提供者（開発元・販売元）は一切の責任を負いかねます。個人の責任で使用してください。Jw_cadバージョン8.25aは、Windows 8、10、11上で動作します。本書の内容についてはWindows 10での動作を確認しており、その操作画面を掲載しています。

◎ Jw_cadバージョン8.25aの動作環境
Jw_cadバージョン8.25aは、以下のパソコン環境で正常に動作します。
OS（基本ソフト）：上記に記載／内部メモリ容量：64MB以上／ハードディスクの使用時空き容量：5MB以上
モニター解像度：800×600以上／マウス：2ボタンタイプ（ホイールボタン付き3ボタンタイプを推奨）

カバー・表紙デザイン：会津 勝久／編集協力：鈴木 健二（中央編集舎）／Special Thanks：清水 治郎＋田中 善文／印刷・製本：シナノ書籍印刷

はじめに

　2016年に本書を出版してから早7年以上が経過しました。その間、多くの方々にご愛読いただくことができました。しかし、7年以上の間に、本書で採り上げているJw_cad（Windowsパソコン用の2次元CAD。フリーウェア）はバージョンが7.11から8.25aに更新されたことと、OSは「Windows10」が主流になり、使い勝手などもかなり変わっています。また、寸法記入の操作等も追加させました。そこで、このたびJw_cadの最新バージョン8.25aを付録CD－ROMに収録し、ソフトの解説や操作の追加、画面画像も一新し、再出版することにしました。

　長年にわたり工業高校建築科の教師として製図やCADの授業を担当してきました。今回本書で取り上げるドリル形式で「Jw_cad」の基本操作を習得する学習方法は、既刊「高校生から始める製図超入門」でも採用しています。しかし、他の拙著なども含め、本の解説どおりに作図を真似するだけでは本当の実力が身に付きにくいことがわかってきました。1つの図形や図面を作図するにはいくつもの方法があり、そのときどきで操作する人が一番気に入った方法で作図するのがよく、作図手順は1つではないというのが実情です。

　そこで、読者が独学でいくつかの方法を使ってドリル形式で作図できるようにするための入門テキストが必要と考え、本書を執筆しました。基本的すぎて少々くどいドリルもありますが、それらを繰り返し学ぶことで、応用力まで身に付く仕掛けになっています。

　本書では、最初にドリル学習を始めるための準備をします。付録CD-ROMのデータを使ってJw_cadをインストールし、基本設定などを行ってから、Jw_cadの起動・終了、ドリル教材を開いたり保存する操作を練習します。

　続く「Part1 基本ドリル」では、付録CD-ROMに収録したJw_cadファイルの基本ドリル01から基本ドリル13を開き、それぞれに用意されている課題図形を複数の方法で作図します。

　次の「Part2 基本ドリル　平面図▶立面図」では、同じく付録CD-ROMに収録したJw_cadファイルの基本ドリル平面図01から基本ドリル平面図07および基本ドリル立面図01から基本ドリル立面図02を開き、1つの建築図面の平面図と立面図の一部を作図します。

　これらのドリルを繰り返し学習することで、Jw_cadの基本操作とCADの製図要領を習得していただけることを期待しています。また、CADを習得することで、1人でも多くの方に建築を好きになっていただけることを望みます。

櫻井 良明

マウス操作の表記凡例

Jw_cadのマウス操作は独特の仕様になっています。本書では、それぞれの操作については、下に示すマークで表記しています。

- ：左クリック。左ボタンを1回クリック
- （右）：右クリック。右ボタンを1回クリック
- ：左ダブルクリック。左ボタンを2回クリック
- （右）：右ダブルクリック。右ボタンを2回クリック
- ⇒ ：左ドラッグ。左ボタンを押した状態でマウスを移動
- ⇒（右）：右ドラッグ。右ボタンを押した状態でマウスを移動
- ⇒（両）：両ドラッグ。左右両方のボタンを押した状態でマウスを移動

Contents

Jw_cad のインストール ……………………………… 7
ツールバーの追加とJw_cadの終了 …………………… 9
基本設定を変更し、作図環境を本書に合わせる ……… 11
本書でのドリル学習の方法 …………………………… 12

Part 1
基本ドリル

01 | 直線をかく　　16
〜 左クリックと右クリックの使い分け 〜

01	「／」水平・垂直を使う	17
02	「／」水平・垂直を使う	19
03	「／」水平・垂直を使う	21
04	「／」水平・垂直を使う	23
05	「／」●−−−を使う	24
06	「／」<−−−を使う	25
07	「／」<を使う	27
08	「／」寸法値と<−−−を使う	28
09	「／」寸法を使う	30
10	「／」15度毎を使う	31
11	「／」傾きを使う	33
12	「／」傾き、寸法を使う	33

02 | 作図済みの線と線をつなげる　　34

01	(1)「コーナー」を使う	35
	(2)「伸縮」を使う	35
	(3)「包絡」を使う	35
02	(1)「コーナー」を使う	36
	(2)「伸縮」を使う	36
	(3)「包絡」を使う	37
03	「コーナー」「伸縮」「包絡」を使う	37
04	「コーナー」「伸縮」「包絡」を使う	37
05	(1)「コーナー」を使う	38
	(2)「伸縮」を使う	39
	(3)「包絡」を使う	39
06	(1)「コーナー」を使う	40
	(2)「伸縮」を使う	40
	(3)「包絡」を使う	41

07	(1)「コーナー」を使う	42
	(2)「伸縮」を使う	42
	(3)「包絡」を使う	43
08	(1)「コーナー」を使う	44
	(2)「伸縮」を使う	44
	(3)「包絡」を使う	45

03 | 作図済みの線を利用して線を増やす　46

01	(1)「複線」を使う	47
	(2)「複線」前回値を使う	47
	(3)「複線」連続を使う	47
	(4)「分割」を使う	48
	(5)「中心線」を使う	48
02	(1)「／」傾きを使う	50
	(2)「／」「複写」を使う	51
	(3)「／」15°毎を使う	52
	(4)「分割」「伸縮」を使う	52
	(5)「中心線」を使う	53
03	(1)「□」寸法を使う	55
	(2)「複線」「コーナー」を使う	55
	(3)「範囲」「複線」を使う	57
	(4)「範囲」「複線」両側複線を使う	58
	(5)「2線」「コーナー」を使う	58
04	(1)「複線」「／」「消去」を使う	60
	(2)「／」「鉛直」を使う	60
05	(1)「複線」「伸縮」を使う	61
	(2)「複線」端点指定を使う	63

04 | 線を消去・伸縮する　　64

01	(1)「消去」右クリックを使う	65
	(2)「範囲」「消去」を使う	65
	(3)「範囲」Deleteキーを使う	66
	(4)「消去」範囲選択を使う	66
	(5)「消去」範囲選択を使う	67
02	「範囲」「消去」を使う	67
03	(1)「消去」を使う	68
	(2)「消去」節間消しを使う	69
	(3)「消去」一括処理を使う	69
04	(1)「消去」を使う	70
	(2)「範囲」切取選択「消去」を使う	71
05	(1)「消去」を使う	72
	(2)「消去」節間消しを使う	72

06	(1)「伸縮」を使う	73
	(2)「伸縮」一括処理を使う	75
	(3)「消去」を使う	77
	(4)「消去」節間消しを使う	78
	(5)「パラメ」を使う	79

05 | 矩形（長方形・正方形）をかく　80

01	(1)「□」を使う	81
	(2)「／」「コーナー」を使う	81
02	(1)「□」を使う	83
	(2)「／」「コーナー」を使う	83
03	(1)「□」を使う	84
	(2)「／」「複線」「コーナー」を使う	85
04	(1)「□」を使う	86
	(2)「／」「複線」「コーナー」を使う	86
05	(1)「□」多重を使う	88
	(2)「□」を使う	88
	(3)「□」「範囲」「複線」を使う	88
	(4)「多角形」角数4を使う	89
	(5)「／」「複線」「コーナー」を使う	89
06	(1)「□」寸法を使う	92
	(2)「／」「複線」「伸縮」「消去」を使う	92
07	(1)「□」ソリッドを使う	95
	(2)「ソリッド」を使う	95

06 | 形を変える　96

01	(1)「パラメ」X方向を使う	97
	(2)「パラメ」X方向を使う	97
02	(1)「パラメ」Y方向を使う	99
	(2)「パラメ」Y方向を使う	100
03	(1)「パラメ」X・Y方向を使う	101
	(2)「パラメ」任意・X・Y方向を使う	102
04	(1)「パラメ」X方向を使う	103
	(2)「パラメ」X方向を使う	104
05	(1)〜(5)「パラメ」X方向を使う	105
	(6)〜(11)「パラメ」Y方向を使う	107

07 | 円・円弧をかく　110

01	「○」基点を使う	111
02	「○」外側を使う	112
03	「○」半径、基点を使う	113

04	「○」円弧、終点半径を使う	114
05	「○」円弧、半径を使う	115
06	「○」扁平率を使う	116
07	「○」扁平率、傾きを使う	118
08	「○」半円、3点指示を使う	119
09	「○」多重円を使う	121

08 | 多角形・面取・手書線をかく　122

01	「多角形」寸法、角数を使う	123
02	(1)「面取」角面（辺寸法）を使う	125
	(2)「複線」「／」「消去」「伸縮」を使う	125
03	(1)「面取」丸面を使う	126
	(2)「複線」「○」「消去」「伸縮」を使う	127
04	「面取」L面を使う	128
05	「○」「連線」手書線を使う	129

09 | ハッチングとソリッドをかく　130

01	(1)「ハッチ」左クリックを使う	131
	(2)「ハッチ」右クリックを使う	134
02	(1)「ソリッド」を使う	135
	(2)「ソリッド」円・連続線指示を使う	138

10 | 文字・特殊文字をかく　140

01	「文字」を使う	141
02	「文字」Y₁ Y³をかく	144
03	「文字」m²をかく	146
04	「文字」㋒ ①をかく	147
05	「文字」㉒ ㉕をかく	148
06	「文字」2文字重ねを使う	149
07	「文字」特殊重ねを使う	150
08	「文字」間隔変更を使う	151
09	「文字」線追加を使う	152

11 | 寸法をかく　154

01	「寸法」＝連続寸法を使う	155
02	「寸法」＝引出角を使う	157
03	「寸法」＝寸法単位を使う	158
04	「寸法」－引出線位置1を使う	159
05	「寸法」－引出線位置0を使う	160
06	「寸法」＝(1)を使う	161

Contents

07	「寸法」＝（2）を使う	163
08	「寸法」－累進寸法を使う	163
09	「寸法」－突出寸法を使う	165
10	「寸法」－「線角度」を使う	167
11	「寸法」－角度を使う	168
12	「寸法」－半径寸法を使う	170

12 | 図形と文字を複写・移動する 172

01	（1）「複写」図形のみを使う	173
	（2）「範囲」「複写」図形のみを使う	173
02	（1）「複写」図形と文字を使う	174
	（2）「範囲」「複写」図形と文字を使う	174
03	（1）「移動」図形と文字を使う	175
	（2）「範囲」「移動」図形と文字を使う	176
04	（1）「複写」反転を使う	177
	（2）「範囲」「複写」反転を使う	177
05	「複写」回転角、倍率を使う	178
06	（1）「複写」連続を使う	179
	（2）「範囲」「複写」連続を使う	179

13 | 線と文字の色・種類を変える 180

01	（1）「属変」を使う	181
	（2）「範囲」属性変更を使う	181
02	（1）「属変」を使う	183
	（2）「範囲」属性変更を使う	183
03	（1）「属変」を使う	184
	（2）「範囲」属性選択・変更を使う	185
04	（1）「属変」を使う	187
	（2）「範囲」属性選択・変更を使う	188
05	（1）「文字」キーボードを使う	189
	（2）「文字」入力ボックスを使う	190
06	（1）「文字」垂直、縦字を使う	190
	（2）「範囲」属性変更「文字」を使う	191
07	（1）「属変」を使う	192
	（2）「範囲」属性変更を使う	193
08	（1）「ソリッド」色取得・変更を使う	195
	（2）「範囲」属性選択・変更を使う	196

Part 2
基本ドリル　平面図▶立面図

ここでかく建築図面 ……………………………………… 198

▼ 平面図

01	通り芯をかく	200
02	柱をかく	204
03	開口部をかく	207
04	壁をかく	216
05	見えがかり線などをかく	222
06	室名、寸法、記号などをかく	227
07	階段をかく	233

▼ 立面図

01	立面図の窓をかく	234
02	立面図の屋根をかく	237

FAX質問シート ……………………………………… 239

Jw_cadのインストール

付録CDに収録したJw_cad（本書執筆時点での最新バージョン8.25a）をWindowsパソコンにインストールします。また、Jw_cadの起動方法、本書での画面構成例および各部名称を紹介します。なお、Jw_cad作者のWebページ（http://www.jwcad.net/）から最新バージョンのJw_cadをダウンロードできます。

付録CDに収録したJw_cadバージョン8.25aを、Jw_cadのインストールプログラムに従って、既定位置である「C：」ドライブの「jww」フォルダにインストールします。

1 付録CDをパソコンのDVD/CDドライブにセットする。

注意 ドライブの名称はパソコンによって異なる。

2 Windows付属のエクスプローラーが起動して、デスクトップにウィンドウが開くので、「jww825a.exe」（または「jww825a」）アイコンを👆👆して実行する。

3 ダイアログが表示されるので、「使用許諾契約書の同意」をよく読み、「同意する」を👆して黒丸を付け（◉の状態にして）、「次へ」ボタンを👆する。

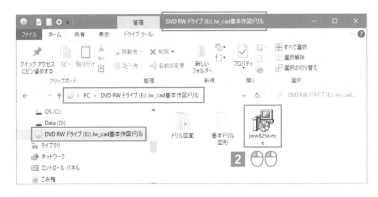

4 ダイアログが開くので、Jw cadのインストール先として「C：¥jww」になっていることを確認し、「次へ」ボタンを👆する。

注意 すでに古いバージョンのJw_cadがインストールされている場合は、先にアンインストールする。そのとき、Jwwフォルダに必要なファイルを保存している場合は、あらかじめ別のフォルダに移しておく。

ダイアログが切り替わるので、スタートメニューへの登録が「Jw_cad」であることを確認したら、「次へ」を👆する。

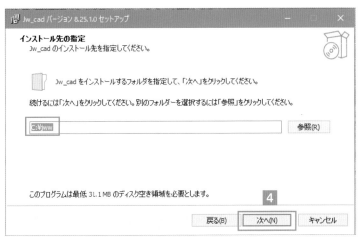

5 ダイアログが切り替わるので、「デスクトップ上にアイコンを作成する」にチェックを付けたら、「次へ」を🖱する。

重要 「デスクトップ上にアイコンを作成する」にチェックを付けることで、自動的にデスクトップにアイコンが作成される。

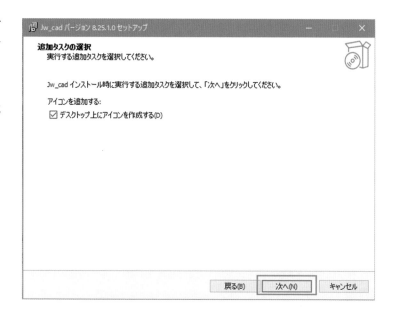

6 ダイアログが切り替わるので、「インストール」ボタンを🖱する。

注意 アクション選択のメッセージが表示されたら、「読み取り専用属性を解除してもう一度やりなおす」を🖱する。このメッセージは、すでにJw_cadがインストールしてある状態で上書インストールした場合に表示される。

インストールが完了するとダイアログが切り替わるので、「完了」ボタンを🖱する。

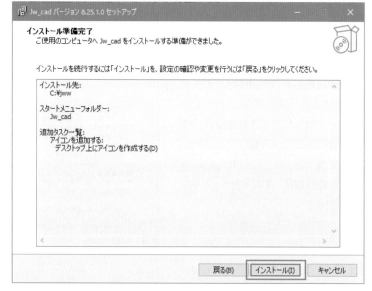

7 「C：」ドライブに「jww」フォルダがインストールされたことを確認する。

重要 「C：」ドライブという名称は、パソコン機種やWindowsバージョンによって異なる。

ツールバーの追加とJw_cadの終了

本書の内容に沿って作図するために、ツールバーを1つ追加表示します。必須条件ではありませんが、追加表示しないと、いくつかのコマンドの選択が面倒になります。最後に、Jw_cadを終了します。

1 Jw_cadを起動し、メニューバー「表示」を🖱し、開くメニューから「Direct2D（2）」コマンドを🖱してチェックを外す。

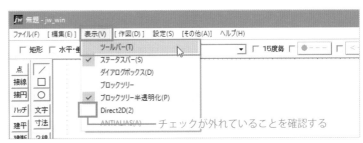

2 再度メニューバー「表示」を🖱し、「Direct2D（2）」コマンドのチェックが外れていることを確認し、「ツールバー」コマンドを🖱する。

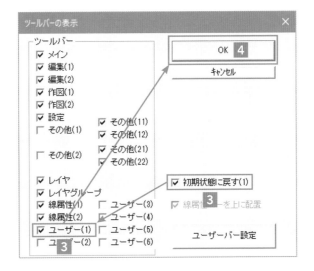

チェックが外れていることを確認する

3 「ツールバーの表示」ダイアログが開くので、「初期状態に戻す」と「ユーザー（1）」をそれぞれ🖱して、どちらにもチェックを付ける。

4 「OK」ボタンを🖱する。

5 作図ウィンドウに「ユーザー（1）」ツールバーが追加表示されたことを確認する。

以上で、作図ウィンドウに「ユーザー（1）」ツールバーが表示されます。

このツールバーが作図の邪魔になるので、コントロールバー右端部の空きスペースに移動します。

1 「ユーザー (1)」ツールバーのタイトルバー部でマウスの左ボタンを押し、そのまま移動（🖰⇒）して、図の位置付近でボタンをはなす。

重要 ツールバーの変更や初期化は自由にできる。「ユーザー (1)」ツールバーには、本書の作図でよく使う「ソリッド」コマンドがあり、便利である。

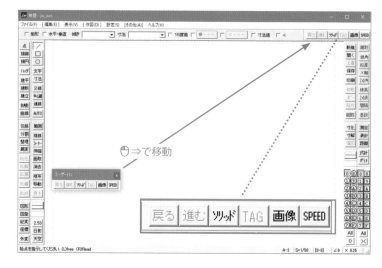

🖰⇒で移動

以上で、ツールバーの追加表示設定は完了です。本書に掲載した画面のツールバーはこの状態になっています。
下図に、これまで設定したJw_cadの画面構成例を示します。

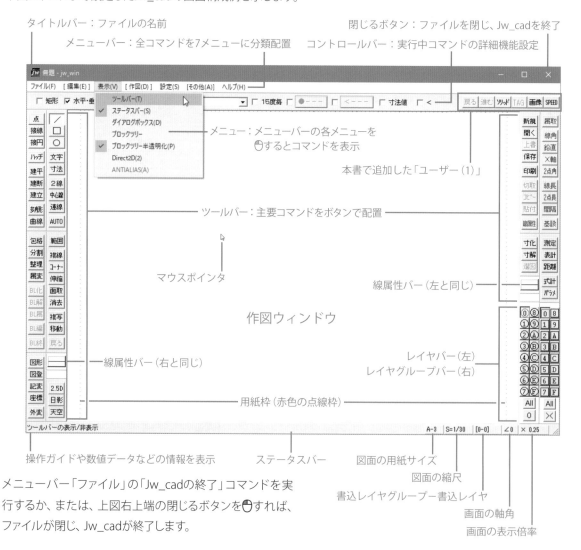

タイトルバー：ファイルの名前
メニューバー：全コマンドを7メニューに分類配置
閉じるボタン：ファイルを閉じ、Jw_cadを終了
コントロールバー：実行中コマンドの詳細機能設定

メニュー：メニューバーの各メニューを🖰するとコマンドを表示

本書で追加した「ユーザー (1)」

ツールバー：主要コマンドをボタンで配置

マウスポインタ

線属性バー（左と同じ）

作図ウィンドウ

線属性バー（右と同じ）

レイヤバー（左）
レイヤグループバー（右）

用紙枠（赤色の点線枠）

操作ガイドや数値データなどの情報を表示
ステータスバー
図面の用紙サイズ
図面の縮尺
書込レイヤグループ─書込レイヤ
画面の軸角
画面の表示倍率

メニューバー「ファイル」の「Jw_cadの終了」コマンドを実行するか、または、上図右上端の閉じるボタンを🖰すれば、ファイルが閉じ、Jw_cadが終了します。

基本設定を変更し、作図環境を本書に合わせる

本書では、Jw_cadの作図環境をここで示した基本設定に変更したうえでドリル学習します。必ず合わせてください。

1 メニューバー「設定」を🖱し、表示されるメニューから「基本設定」コマンドを🖱する。

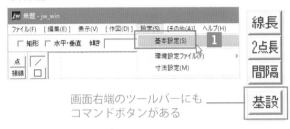

画面右端のツールバーにも
コマンドボタンがある

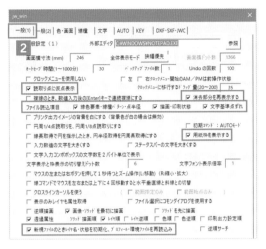

基本設定を行う「jw_win」ダイアログが開くので、以下の3つのタブ（画面）のみ順次、設定します。他の5つのタブの設定はすべて初期設定のまま変更しません。

2 「一般（1）」タブでは、以下のチェックボックスを🖱してチェックを付ける（他は変更しない）。

> 「読取り点に仮点表示」
> 「消去部分を再表示する」
> 「ファイル読込項目」の3項目
> 「用紙枠を表示する」
> 「新規ファイルのとき…」

3 「一般（2）」タブでは、以下のチェックボックスを🖱してチェックを付ける（他は変更しない）。

> 「矢印キーで画面移動、…」
> 「マウスホイール」欄の「＋」

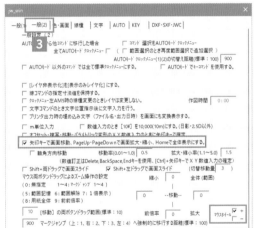

重要 ホイールボタンを押すと、押したときの位置が作図ウィンドウの中心になるように画面移動する。「マウスホイール」欄の「＋」にチェックを付けると、ホイールの後方（手前）回転で画面拡大、前方（奥）回転で画面縮小できる（「－」にチェックを付けると逆）。

4 「色・画面」タブでは、以下のチェックボックスを🖱してチェックを付ける（他は変更しない）。

> 「実点を指定半径（mm）で…」

5 「OK」ボタンを🖱し、「jw_win」ダイアログを閉じる。

以上の基本設定に合わせれば、Jw_cadの作図環境が本書での解説と適合し、ドリル学習がスムーズに進められます。

本書でのドリル学習の方法

本書では、付録CDに収録したドリル学習用のjwwファイル（ドリル教材。以降「練習ファイル」と呼称）を利用してドリル学習を進めていただきます。練習ファイルは、前項で解説した基本設定に適合し、本書では深くは学ばないレイヤ設定なども済ませてあるので、必ず各項目で指示のある練習ファイルを開いて学習を始めてください。

練習ファイル（ドリル教材）をパソコンの「jww」フォルダにコピー

本書でのドリル学習で利用する練習ファイルを付録CDからパソコンのハードディスクにコピーします。

1 再び付録CDを開き、「ドリル図面」フォルダをパソコンのハードディスクの「C：」ドライブ（パソコンの機種やWindowsのバージョンによっては異なる）の「jww」フォルダ内にフォルダごとコピーする。

重要 「jww」フォルダはJw_cadをインストール（➡ p.8）したときに自動作成されるJw_cad一式を収納しているフォルダ。

注意 「基本ドリル図形」フォルダはPart2で作成する図形データを収録している（➡ p.213）。付録CDの「基本ドリル図形」フォルダの内容は参照用に収録しているため、ここでコピーする必要はない。

2 コピーした内容を確認する。

3 さらに、「基本ドリル」フォルダの内容を確認する。

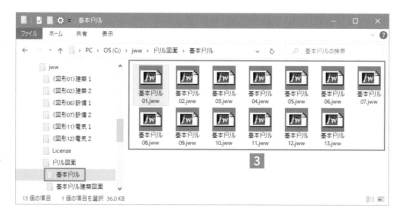

4 さらに、「基本ドリル建築図面」フォルダの内容を確認する。

以上の練習ファイルをドリル学習で使います。

注意 練習ファイルを付録CDから直接、開いて利用することは、保存するときに面倒なのでお奨めしない。

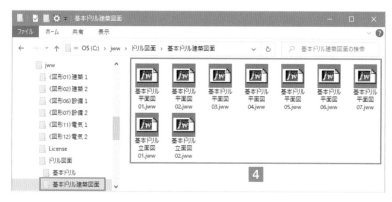

ドリル学習のやり方を知っていただくため、ここで練習ファイルを開き、任意の名前を付けて保存するまでの一連の作業を練習します。

本書のドリル学習（基本ドリル13項目、基本ドリル建築図面9項目。各項目内にはいろいろな方法で作図するための複数の課題を設定）は、すべてここでの例と同じやり方で進められます。

1 付録CDからコピーした「jww」フォルダ内の「基本ドリル」フォルダから「基本ドリル01.jww」のアイコンを🖰🖰して開く。

重要 Jw_cadでファイルを開くには「ファイル」メニューの「開く」コマンドまたはツールバーの「開く」ボタンを🖰する方法もある。

練習ファイルを開いたら、作図開始前に、同じフォルダに任意の名前を付けて保存します。自分専用の練習ファイルとなり、適宜、自由に保存することができます。

2 「ファイル」メニューの「名前を付けて保存」コマンドを🖰。

3 「ファイル選択」ダイアログが開くので、「新規」ボタンを🖰。

4 「新規作成」ダイアログが開くので、「新規」欄から「ファイル」を選択し、「名前：」ボックスに任意のファイル名（ここでは「基本ドリル01A」）とキー入力して、「OK」ボタンを🖰。

5 このファイルを閉じ、Jw_cadを終了するには、Jw_cadのウィンドウの閉じるボタンを🖰。

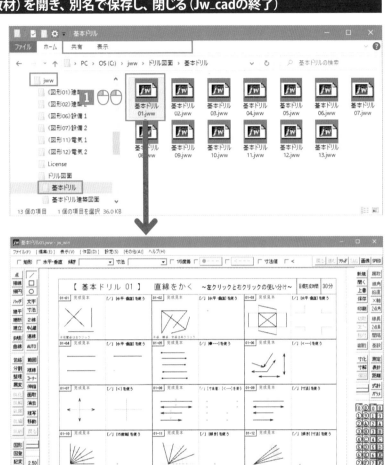

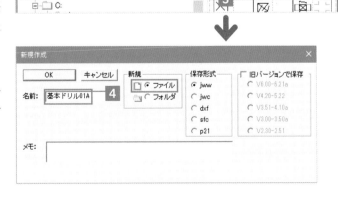

練習ファイルは複数の課題で構成されています。各課題は、左側が完成見本図、右側が作図開始状態の図（白紙図もあり）です。右側の図上で作図に挑戦してください。やり直したいときは、前項に戻って改めて自分専用のファイルを作り直してください。ここでは、練習ファイルの各課題部分を作図ウィンドウいっぱいに表示させる方法について説明します。

1 前項で名前を付けて保存した練習ファイル「基本ドリル01A.jww」の課題「01-01」を学習する場合は、拡大したい範囲の左上付近で👆⇒（両）し、押したまま右下方向にドラッグして、図のように囲んだらボタンをはなす。

以上で、図のように囲んだ部分が画面一杯に拡大表示されます。

2 逆に、ファイルを開いたときの全体表示に戻す場合は、作図ウィンドウの任意の位置で👆⇒（両）し、押したまま右上方向に少しドラッグしてボタンをはなす。

以上で、前ページのように、図を開いたときの画面表示状態に戻ります。

重要 「基本設定」で「マウスホイール」の「＋」にチェックを付けているので ➡ p.11、目的の位置付近にマウスポインタを合わせマウスホールを回転させることでも画面を拡大縮小できる。

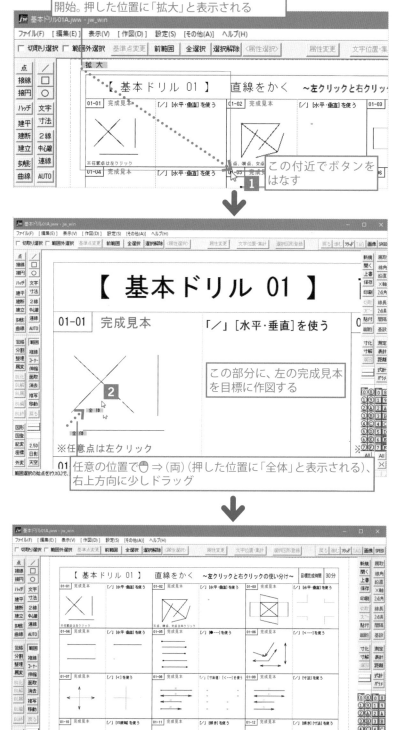

この付近で👆⇒（両）し、右下方向にドラッグ開始。押した位置に「拡大」と表示される

この付近でボタンをはなす

任意の位置で👆⇒（両）（押した位置に「全体」と表示される）、右上方向に少しドラッグ

Part 1
基本ドリル

01 直線をかく ～左クリックと右クリックの使い分け～ …… 16

02 作図済みの線と線をつなげる ……… 34

03 作図済みの線を利用して線を増やす ……… 46

04 線を消去・伸縮する ……… 64

05 矩形（長方形・正方形）をかく ……… 80

06 形を変える ……… 96

07 円・円弧をかく ……… 110

08 多角形・面取・手書線をかく ……… 122

09 ハッチングとソリッドをかく ……… 130

10 文字・特殊文字をかく ……… 140

11 寸法をかく ……… 154

12 図形と文字を複写・移動する ……… 172

13 線と文字の色・種類を変える ……… 180

基本ドリル01では作図の基本中の基本である線の作図を練習します。また、Jw_cad 独特の操作としてマウスの左クリック（任意点・自由点の指示）と右クリック（読取点・作図済みの点の指示）の機能の使い分けに慣れてください。どちらも重要な操作です。

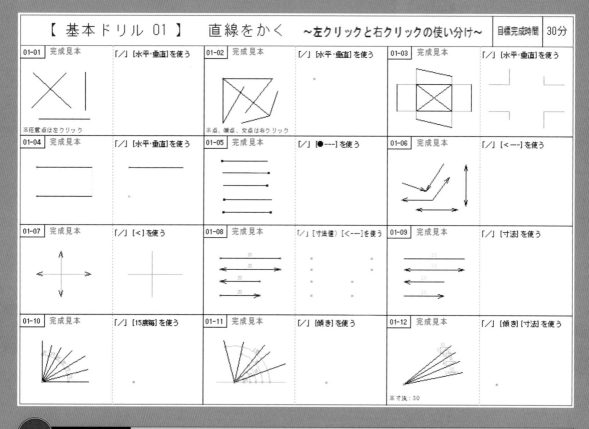

基本ドリル01-01

「01-01」では、Jw_cadの作図領域である白い（初期設定）作図ウィンドウ上に、自由に直線（線分）をかきます。線をかくときは「／」コマンドを使います。

注意 以降、直線（線分）のことを「線」と表記する。円や円弧などの曲線と区別する必要があるときのみ「直線」と表記する場合がある。

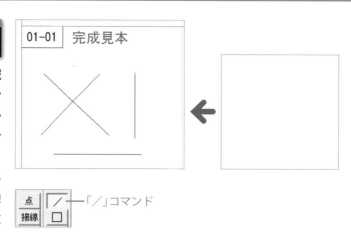

「／」水平・垂直を使う

まずはもっとも基本的な作図操作である線をかきます。

1 「／」コマンドのボタンを🖱して実行する。

注意 「／」コマンドは「線」コマンドという。

2 コントロールバー「水平・垂直」のチェックボックスが空欄であることを確認する。

注意 初期状態は空欄だが、空欄でない場合は➡ p.18。

3 線の始点にする位置として、作図ウィンドウ上で図のような任意位置で🖱。

4 線をかく方向にマウスを適当に移動する。

5 マウス移動に追随して赤い仮の線がかかれるので、線の終点にする位置として、図のような任意位置で🖱。

線が黒く変わり、確定します。
続いて、かいた斜線に交差する斜線をかきます。操作要領は同じです。

6 線の始点にする位置として、図示付近で🖱。

7 マウスを移動し、線の終点にする位置として、作図済みの線をまたいだ図示付近で🖱。

重要 Jw_cadでは、作図ウィンドウの任意位置をマウスで指示するときは🖱する。この位置を「任意点」または「自由点」という（以降、「任意点」と表記）。「／」コマンドで線の始点や終点を指示するとき、**3**と**5**の場合は任意点の指示になる。

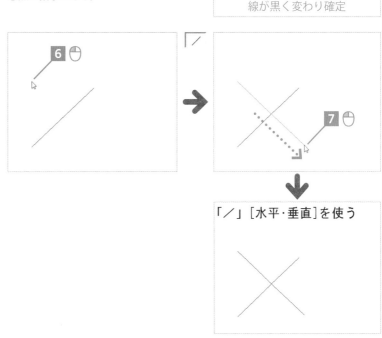

「／」[水平・垂直] を使う

操作を取り消す「戻る」コマンド、取り消した操作をやり直す「進む」コマンド

作図操作後に「戻る」コマンドを🖱すると、操作前の図面状態に戻ります。🖱を繰り返すと、その回数分、操作前の図面状態に戻ります。例えば5回🖱すると、5操作前の図面状態に戻ります。戻れる回数は初期設定では100回までです。
また、「戻る」コマンドで戻った場合、「進む」コマンドを🖱すると、その回数分やり直しされます。
なお、「戻る」コマンドは「Esc」キーまたは「Ctrl」＋「Z」キーを押すことでも代用できます。

「戻る」「進む」コマンド
「編集」メニューにもある

続いて、斜線とは別の場所に水平線と垂直線をかきます。「／」コマンドの「水平・垂直」機能を利用します。

8 コントロールバー「水平・垂直」を🖱️してチェックマーク「✔」を付ける。「／」をもう一度クリックしてもチェックマークが入る。

注意 これを「チェックボックス」といいWindows共通の仕組みである。🖱️するたびにチェックのありなしが切り替わり、チェックありの場合のみ機能が有効となる。以降、「チェックを付ける」「チェックを外す」と表記する。

9 線の始点として、図示付近で🖱️。

10 マウスを移動しても赤い仮の線は水平または垂直方向にしかかかれないので、ここでは右方向に適当に移動し線の終点として、図示付近で🖱️。

11 同様にして、図のような垂直線をかく。

注意 以降、同じような操作の解説は徐々に省略していく。

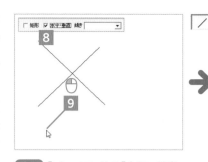

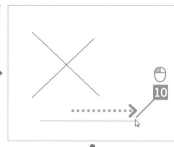

重要 「／」コマンドの「水平・垂直」機能で線をかくとき、水平線になるか垂直線になるかは始点→終点の軌跡の傾きによる。傾きが水平方向（X軸）に対して±45°以下の場合は水平線がかかれ、それより大きい場合は垂直線がかかれる。試してみるとよい。

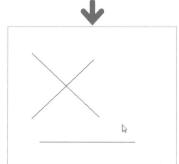

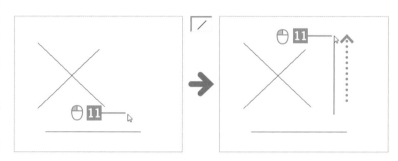

基本ドリル 01-02

「01-02」では、線をかきながら、🖱️（右）による読取点（作図済みの点）指示の練習をします。Jw_cadによる作図でもっとも重要な操作になります。

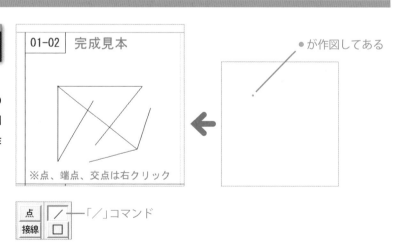

01-02 完成見本

※点、端点、交点は右クリック

● が作図してある

点／接線 □　「／」コマンド

「／」水平・垂直を使う

まず作図済みの点（•）を始点とする水平線をかきます。

1 「／」コマンド。

2 コントロールバー「水平・垂直」にチェックを付ける。

3 線の始点として、作図済みの点を🖱（右クリック）。

4 線をかく方向にマウスを適当に移動し、線の終点として、図のような任意位置で🖱。

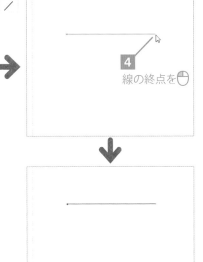

3 線の始点にする位置を🖱
（右クリック。読取点指示）

4 線の終点を🖱

重要 Jw_cadでは、作図ウィンドウの作図済みの点をマウスで指示するときは🖱（右）する。この位置を「読取点」という。「／」コマンドで線の始点や終点として作図済みの点、線の端点、線と線の交点や接点、図形の頂点などを指示するときは読取点の指示になる。

続いて、同様にして作図済みの点を始点とする垂直線をかきます。

5 線の始点として、作図済みの点を🖱（右）。

6 線の終点として、図のような任意位置で🖱。

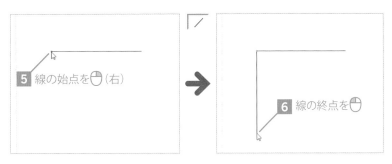

5 線の始点を🖱（右）

6 線の終点を🖱

続いて、同様にして作図済みの点を始点とする斜線をかきます。

7 コントロールバー「水平・垂直」を🖱してチェックマーク「✔」を外し、空欄にする。

8 線の始点として、作図済みの点を🖱（右）。

9 線の終点として、図のような任意位置で🖱。

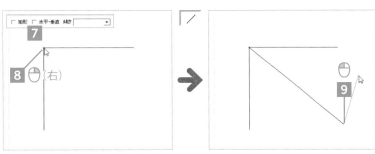

8 🖱（右）

9

続いて、ここでかいた3本の線の端点を始点・終点とする線をかきます。操作要領は同じです。

10 図のように、斜線の右下端点を始点とする任意の斜線をかく。

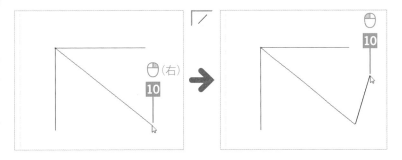

🖱（右）
10

10

11 同様にして、図のように、あと3本の斜線をかく。いずれも始点を🖱(右)、終点を🖱とする。

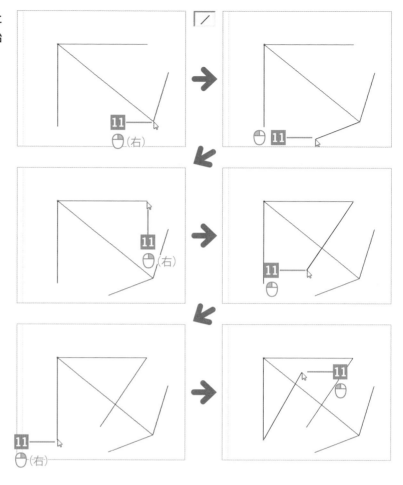

基本ドリル **01-03**

「01-03」も作図済みの線の端点や交点を利用しながら線をかき、🖱(右)による読取点指示を身につける練習です。

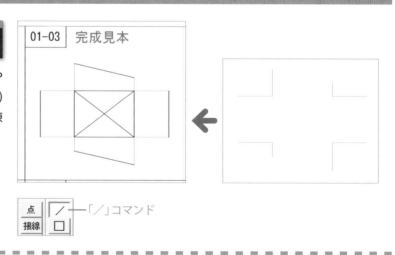

■ 「／」水平・垂直を使う

作図済みの読取点を利用して、完成見本のように各部の線をかきます。ここでは、すべての位置で🖱(右)します。

1 「／」コマンド。

2 コントロールバー「水平・垂直」にチェックを付け、4つのコーナーの頂点を結ぶ長方形をかく。

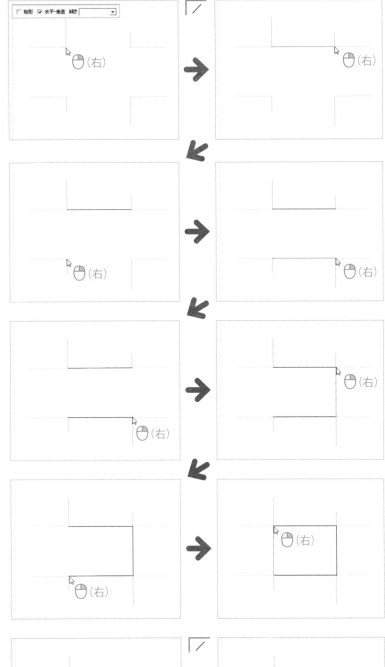

3 続いて、左右の線端点を結ぶ垂直線をかく。

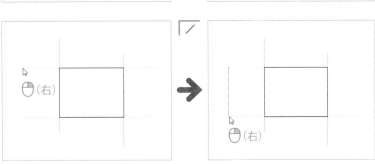

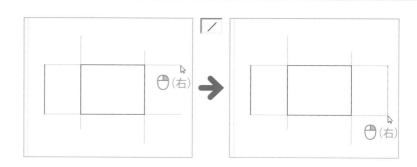

4 コントロールバー「水平・垂直」のチェックを外し、上下の斜線をかく。

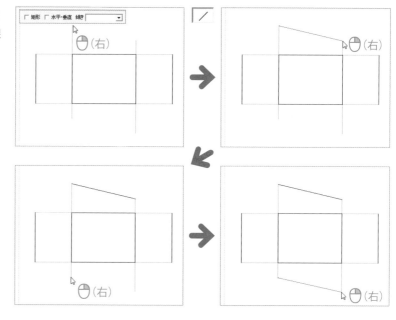

5 中央の長方形の対角線をかく。

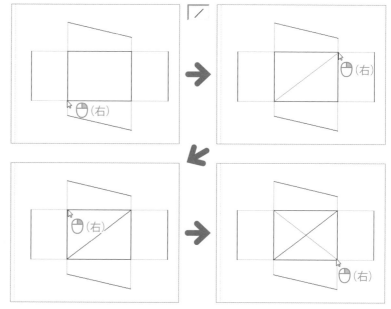

基本ドリル 01-04

「01-04」では、線の始点や終点に読取点がない場合の指示方法を紹介します。
水平・垂直線が直交する線が多い建築図面ではたいへん有用な機能です。

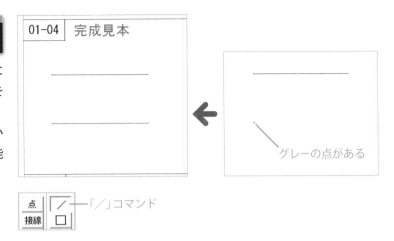

01-04 完成見本

グレーの点がある

点 接線 ／ □ ──「／」コマンド

「／」水平・垂直を使う

上側の水平線と同じ長さ（終点位置）の水平線を下側の作図済みの点を始点としてかきます。

1 「／」コマンド。

2 コントロールバー「水平・垂直」にチェックを付ける。

3 図の作図済みの点を🖰（右）。

4 終点位置に読取点がないが、上側の水平線の右端点と水平位置が揃えばよいのだから、図のように上側の水平線の右端点を🖰（右）。

3 🖰（右）

重要 この例のように、線の始点や終点に読取点がない場合でも、作図する線によっては周辺の読取点で代用できる場合も多いので、この機能は必ず覚えてほしい。

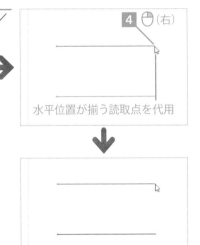

4 🖰（右）

水平位置が揃う読取点を代用

基本ドリル 01-05

「01-05」では、始点や終点に点マーカー「●」が付いた線をかきます。

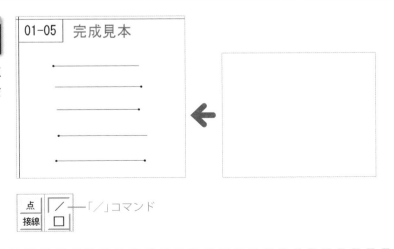

01-05 完成見本

点 接線 ／ □ ──「／」コマンド

「／」●−−−を使う

まず、始点に●が付く水平線をかきます。

1 「／」コマンド。

2 コントロールバー「水平・垂直」にチェックを付ける。

3 コントロールバー「●−−−」の左にあるボックスにチェックを付ける。

4 図のような任意位置で🖱。

5 マウスを右方向に移動し、任意長さの水平線をかく。

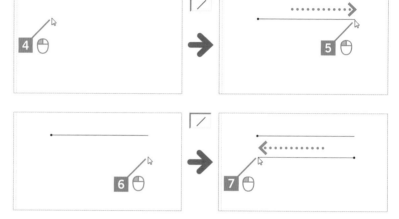

同じく、始点に●が付く水平線をかきますが、4 5 と反対の左方向で始点→終点を指示します。

6 図のような任意位置で🖱。

7 マウスを左方向に移動し、任意寸法の水平線をかく。

次は、終点に●が付く水平線をかきます。コントロールバーのモードを変えて、4 5 と同じ右方向で始点→終点を指示します。

8 コントロールバー「●−−−」ボタンを1回🖱して、ボタンの表示を「−−−●」に切り替える。

注意 🖱し過ぎて違う表示になった場合は、何度か🖱して戻す（モードの切り替えは循環する）。

9 図のような任意位置で🖱。

10 マウスを右方向に移動し、任意寸法の水平線をかく。

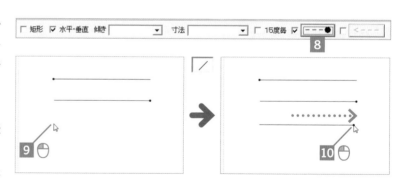

同じく、終点に●が付く水平線をかきますが、9 10 と反対の左方向で始点→終点を指示します。

11 左方向に始点→終点を指示して、水平線をかく。

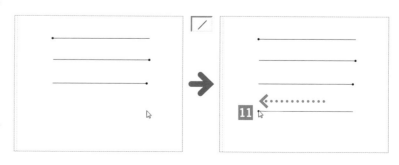

最後は、始点・終点ともに●が付く水平線をかきます。

12 コントロールバー「－－－●」ボタンを1回🖱して、ボタンの表示を「●－－●」に切り替える。

13 右方向に始点→終点を指示して、水平線をかく。

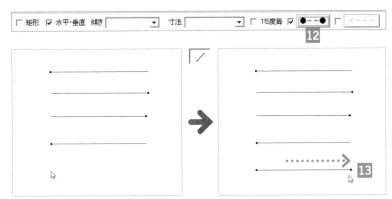

基本ドリル **01-06**

「01-06」では、始点や終点に矢印マーカー「>」が付いた線をかきます。

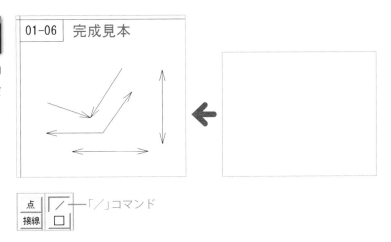

| 01-06 | 完成見本 |

「／」＜－－－を使う

まず、始点に＞が付く斜線をかきます。

1 「／」コマンド。

2 コントロールバー「水平・垂直」のチェックを外す。

3 コントロールバー「＜－－－」の左にあるボックスにチェックを付ける。

4 図のような任意位置で🖱。

5 マウスを左上方向に移動し、任意の長さの斜線をかく。

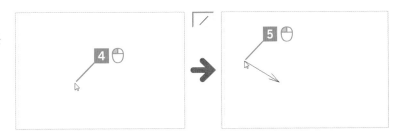

同じく、始点に＜が付く斜線をかきますが、始点を前項でかいた斜線の終点にとります。

6 作図済みの斜線の右下端点を🖰（右）。

7 マウスを右上方向に移動し、任意の長さの斜線をかく。

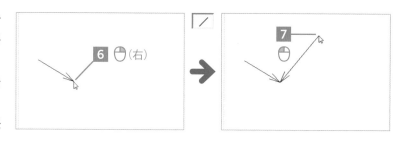

次は、終点に＜が付く斜線をかきます。コントロールバーのモードを変えて、4 5 と同じ右方向で始点→終点を指示します。

8 コントロールバー「＜－－－」ボタンを1回🖰して、ボタンの表示を「－－－＞」に切り替える。

9 図のような任意位置で🖰。

10 マウスを右上方向に移動し、任意の長さの斜線をかく。

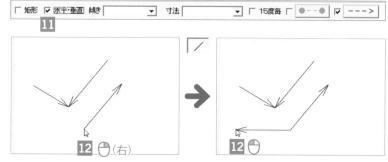

続いて、終点に＜が付く水平線をかきます。

11 コントロールバー「水平・垂直」にチェックを付ける。

12 左方向に始点🖰（右）→終点🖰として、水平線をかく。

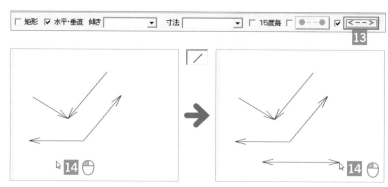

次は、始点・終点ともに＜が付く水平線をかきます。

13 コントロールバー「－－－＞」ボタンを1回🖰して、ボタンの表示を「＜－－＞」に切り替える。

14 右方向に始点🖰→終点🖰として、水平線をかく。

最後は、同様にして始点・終点ともに<が付く垂直線をかきます。

15 上方向に始点🖱️→終点🖱️として、水平線をかく。

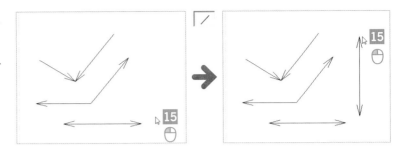

基本ドリル01-07

「01-07」では、作図済みの線の端点（始点・終点）に矢印マーカー「<」を付けます。前項「01-06」と同じ線になりますが、ここでは後付けの操作です。

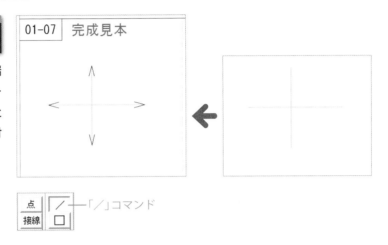

01-07　完成見本

点 ／ ┌「／」コマンド
接線 □

「／」<を使う

まず、作図済みの垂直線の両端に>を付けます。

1 「／」コマンド。

2 コントロールバー「<」の左にあるボックスにチェックを付ける。

3 垂直線の上端に近い側の任意位置で🖱️。

注意 🖱️位置に近い側の線端点に<が付く。

┌●‐●┐ ┌<‐>┐ ┌寸法値 ☑< 2

4 同様にして、垂直線の下端に近い側の任意位置で🖱️。

続いて、作図済みの水平線の両端に>を付けます。

5 垂直線の場合と同様にして、水平線の左端に近い側の任意位置で🖰。

6 同様にして、水平線の右端に近い側の任意位置で🖰。

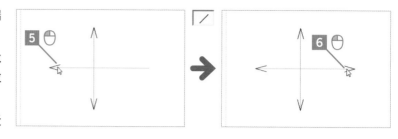

基本ドリル 01-08

「01-08」では、端点（始点・終点）に矢印マーカー「>」と寸法値（長さの数字）を付けた水平線をかきます。

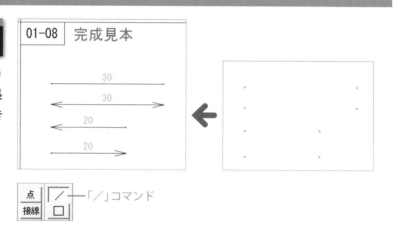

```
点   ／    ─「／」コマンド
接線  □
```

「／」寸法値と<---を使う

寸法値は文字なので、「寸法」コマンドで文字の大きさを「文字種類2」に設定してから線をかきます。

注意 文字種類は文字記入の「基本ドリル10」で詳しく解説するので、ここでは覚えなくてよい。

1 「寸法」コマンドを🖰して、画面上部のコントロールバー「設定」➡p.155を🖰。

2 「寸法設定」ダイアログが開くので、図の「文字種類」に「2」をキー入力する（初期設定は「2」なのでその場合は確認のみ）。他は変更しないで初期設定のまま。

3 「OK」ボタン（上部と下部に2つあるがどちらでもよい）を🖰してダイアログを閉じる。

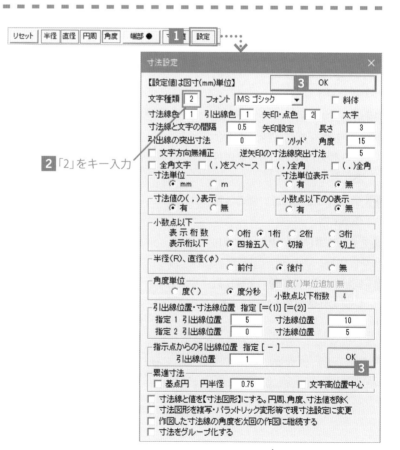

まず一番上に寸法値が付いた水平線をかきます。寸法は30で、線をかくと自動的に寸法値が計算され、所定の位置に記入されます。

4 「／」コマンド。

5 コントロールバー「水平・垂直」と「寸法値」にチェックを付ける。

6 水平線の始点として、図の作図済みの点を🖱(右)。

7 水平線の終点として、図の作図済みの点を🖱(右)。

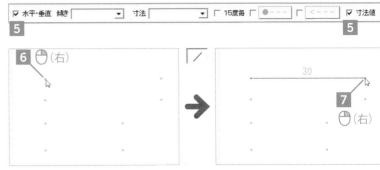

作図済みの点の間の距離は30なので、線の寸法は30となる

同様にして2段目に両側矢印マーカーと寸法値が付いた水平線をかきます。寸法は30です。

8 コントロールバーの図のボックスにチェックを付け、ボタンの表示を「＜ーー＞」に切り替える ➡ p.25～26 。

9 水平線の始点・終点として、図の作図済みの点を順次🖱(右)。

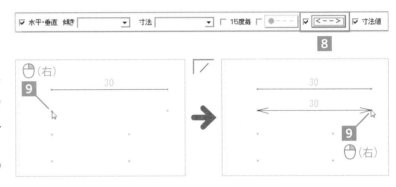

同様にして3段目に左側矢印マーカーと寸法値が付いた水平線をかきます。寸法は20です。

10 コントロールバーの図のボックスにチェックを付け、ボタンの表示を「＜ーーー」に切り替える ➡ p.25～26 。

11 水平線の始点・終点として、図の作図済みの点を順次🖱(右)。

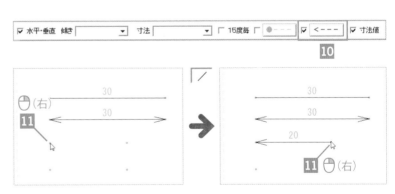

同様にして4段目に右側矢印マーカーと寸法値が付いた水平線をかきます。寸法は20です。

12 コントロールバーの図のボックスにチェックを付け、ボタンの表示を「ーーー＞」に切り替える。

13 水平線の始点・終点として、図の作図済みの点を順次🖱(右)。

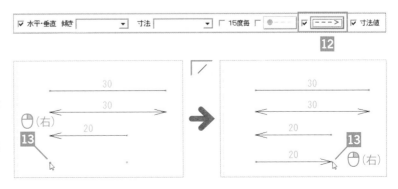

基本ドリル 01-09

「01-09」では、寸法（長さ）を指定して水平線をかきます。そのうちの一部には矢印マーカー（<）を付けます。

なお、完成見本の寸法値は作図参照用です。ここでかく線に付ける寸法値ではありません。

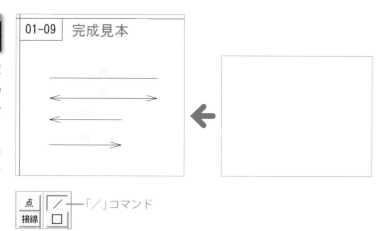

「／」寸法を使う

まず、寸法30の水平線をかきます。

1 「／」コマンド。

2 コントロールバー「水平・垂直」にチェックを付ける。

注意 他の項目のチェックは外す。

3 コントロールバー「寸法」に「30」をキー入力する。

4 図のような任意位置で🖱。

5 マウスを右方向に移動して、確定の🖱。

注意 「寸法30の水平または垂直線」と決まっているので、マウスで指示するのは線の方向だけ（ここでは右方向の水平線）。

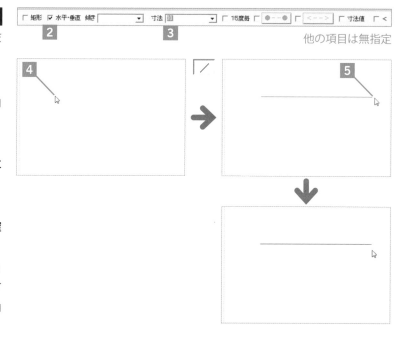

続けて、寸法30の矢印マーカー付き水平線をかきます。

6 コントロールバーで、図のボックスにチェックを付け、「<－－>」ボタン表示に切り替える。

7 図のような任意位置で🖱。

8 マウスを右方向に移動して、確定の🖱。

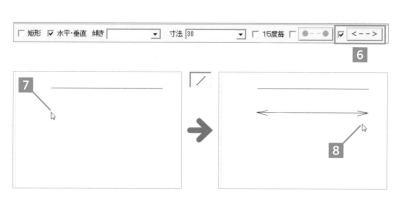

続けて、寸法20の矢印マーカー付き水平線をかきます。

9 コントロールバー「寸法」に「20」を入力する。

10 コントロールバーで、図のボタン表示を「＜－－－」に切り替える。

11 同様にして、図のような水平線をかく。

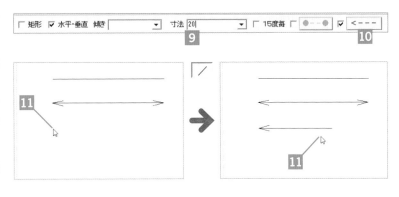

続けて、寸法20の反対向きの矢印マーカー付き水平線をかきます。

12 コントロールバーで、図のボタン表示を「－－－＞」に切り替える。

13 同様にして、図のような水平線をかく。

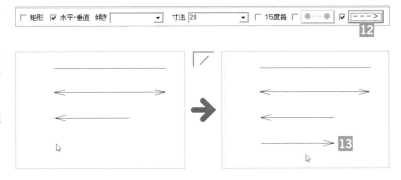

基本ドリル **01-10**

「01-10」では、作図済みの点を始点とする15°ごとの線をかきます。0°から90°までの角度線にします。

注意 線の傾き（角度）は、X軸正方向を0°として反時計回りに指定する。

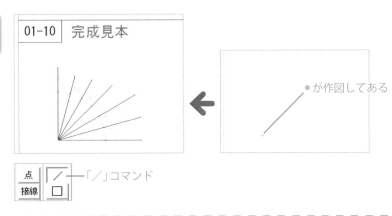

「／」15度毎を使う

まず、0°の線をかきます。

1 「／」コマンド。

2 コントロールバー「水平・垂直」のチェックはあってもなくてもよい。

3 コントロールバー「寸法」は「（無指定）」または空欄にする。

4 コントロールバー「15度毎」にチェックを付ける。

注意 他の項目のチェックは外す。

他の項目は無指定
「15度毎」にチェックを付けると「水平・垂直」のチェックに優先する

注意 「／」「□」「○」コマンドなどで、コントロールバーで寸法を指定するボックスには前回指定または使用した値が残っていたり、使っていないのに「（無指定）」と表示されていたりすることがある（プログラムバグではない）。作図のときはここの表示に注意して、寸法を指定しない作図のときは、「（無指定）」を選択するか、マウスカーソルをおいて「Backspace」キーや「Delete」キーで残っている値を消して空欄にする。

5 図のように作図済みの点を始点とする任意の寸法の0°線（水平線）をかく。

6 作図済みの点を🖱（右）する。

7 マウスを少し移動すると赤い仮の15°ごとの線が表示されるので、ここでは右上方向の15°線で確定の🖱。

重要 「／」コマンドの「15度毎」は、かく線が0°、15°、30°、…、345°に限定される機能である。

8 同様にして、30°線、45°線、60°線、75°線、90°線（垂直線）を順次かく。

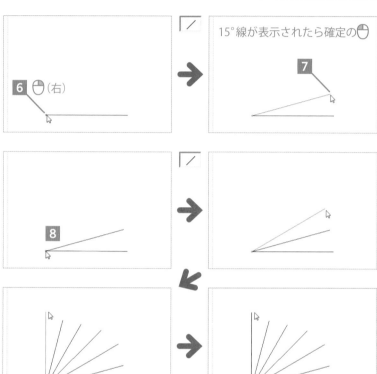

基本ドリル 01-11

「01-11」では、傾き（角度）を指定して線をかきます。

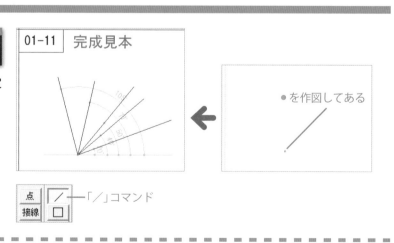

「／」傾きを使う

まず、20°の線をかきます。

1 「／」コマンド。

2 コントロールバー「傾き」に「20」をキー入力する。

3 作図済みの点を🖱（右）する。

4 マウスを右上方向に少し移動すると赤い仮の線が表示されるので、図のような状態で確定の🖱。

重要 「傾き」を「20」にすると20°と200°の2種類の線が選択できるが、「水平・垂直」にチェックを付けていると、0°、20°、90°、110°、180°、200°、270°、290°の線が選択できる。

5 同様にして、40°線、50°線、77°線、105°線を順次かく。

注意 ここではコントロールバーの他の設定が図のようになっていることを前提として作図する。過去に作図した内容によって「水平・垂直」「寸法」「15度毎」などが異なる場合は合わせること。なお「傾き」の数値指定は「水平・垂直」に優先する。

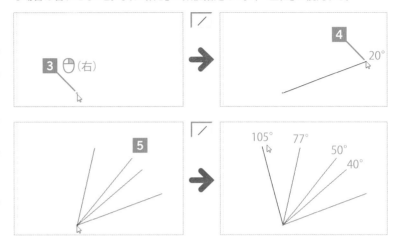

基本ドリル **01-12**

「01-12」では、傾き（角度）と寸法（長さ）の2つを指定して線をかきます。コントロールバー「傾き」には角度ではなく勾配比率（屋根勾配などに使う）を指定する方法を利用します。

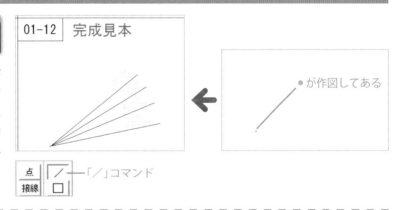

01-12　完成見本

● が作図してある

点／接線 ── 「／」コマンド

「／」傾き、寸法を使う

下側から順次かきます。

1 「／」コマンド。

2 コントロールバー「傾き」に「//0.2」をキー入力する。

3 作図済みの点を🖱（右）する。

4 マウスを右上方向に少し移動すると赤い仮の線が表示されるので、図のような状態で確定の🖱。

5 同様にして、4/10（//0.4）、6/10（//0.6）、8/10（//0.8）勾配線を順次かく。

注意 他の項目のチェックは外す。

他の項目は無指定

重要 「傾き」に「//0.2」（「/」は半角スラッシュ）と指定すると、完成見本に参照用として記載してあるように2/10の勾配線になる（右上と左下方向の2種類選択できる）。

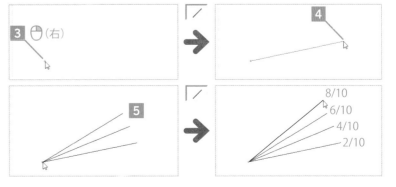

基本ドリル02では作図済みの線と線をつなげます。また、つなげることで同時にコーナーをつくったり不要な線を消したりできます。直交している線、角度差のある線、離れている線で操作練習しましょう。

【 基本ドリル 02 】 線と線をつなげる　目標完成時間 15分

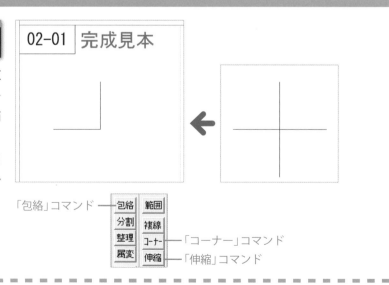

練習ファイル　「ドリル図面」フォルダ ▶ 「基本ドリル」フォルダ ▶ 「基本ドリル02.jww」

基本ドリル02-01

「02-01」では、水平線左側と垂直線上側を交点でつなげてコーナーをつくり、不要な部分を自動的に消します。

「コーナー処理（コーナー）」「伸縮」「包絡処理（包絡）」コマンドを使い分けます。

02-01 完成見本

「包絡」コマンド ── 包絡　範囲
分割　複線
整理　コーナー ── 「コーナー」コマンド
属変　伸縮 ── 「伸縮」コマンド

(1) 「コーナー」を使う

1　「コーナー」コマンド。

2　水平線を、交点左側の任意位置で🖱。

3　垂直線を、交点上側の任意位置で🖱。

注意 2と3の順序は逆でもよいが、交点に対してコーナーをつくる側で線を🖱する。

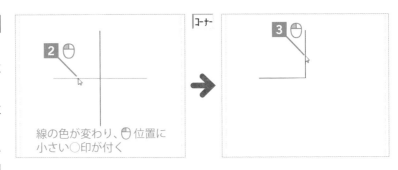

線の色が変わり、🖱位置に小さい○印が付く

(2) 「伸縮」を使う

1　「伸縮」コマンド。

2　水平線を、交点左側の任意位置で🖱。

注意 この場合は線を縮めるので、交点に対して線を残す側で線を🖱する。

3　水平線を縮める位置（この場合は交点）で🖱（右）。

4　垂直線を、交点上側の任意位置で🖱。

5　垂直線を縮める位置（この場合は交点）で🖱（右）。

🖱位置に小さい○印が付く

🖱位置に小さい○印が付く

(3) 「包絡」を使う

1　「包絡」コマンド。

2　交点左上側の図示付近で🖱。

3　範囲を示す水平・垂直線が表示されマウスの位置に応じて拡大縮小するので、交点右下側の図示付近で🖱。

注意 2と3の🖱位置は、コーナーをつくる側では線端点を範囲に含まず、線を消す側では線端点を範囲に含むように🖱する。

包絡の範囲を示す赤い水平・垂直線が表示される

基本ドリル 02-02

「02-02」は「02-01」と同様の操作ですが、つなげる線（つくるコーナー）を変えます。

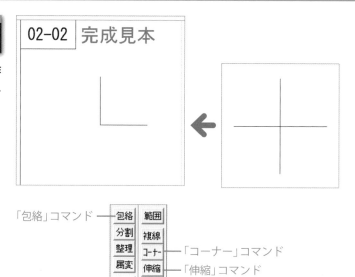

「包絡」コマンド ── 包絡　範囲
分割　複線
整理　コーナー ── 「コーナー」コマンド
属変　伸縮 ── 「伸縮」コマンド

（1）「コーナー」を使う

1 「コーナー」コマンド。

2 垂直線を、交点上側の任意位置で🖱。

3 水平線を、交点右側の任意位置で🖱。

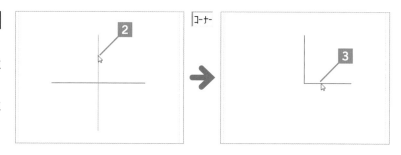

（2）「伸縮」を使う

1 「伸縮」コマンド。

2 水平線を、交点右側の任意位置で🖱。

3 水平線を縮める位置（この場合は交点）で🖱（右）。

4 垂直線を、交点上側の任意位置で🖱。

5 垂直線を縮める位置（この場合は交点）で🖱（右）。

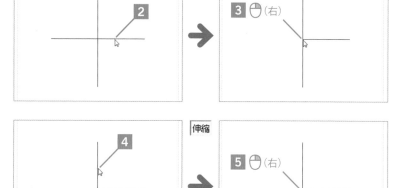

(3) 「包絡」を使う

1 「包絡」コマンド。

2 図示付近で🖱️。

3 範囲を示す水平・垂直線が表示されマウスの位置に応じて拡大縮小するので、交点右下側の図示付近で🖱️。

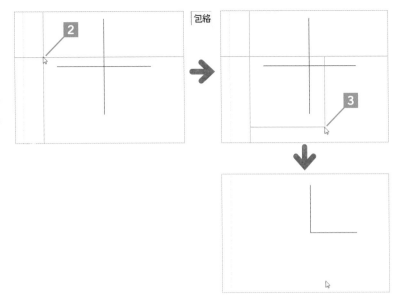

基本ドリル 02-03/04

「02-03」と「02-04」の操作要領は「02-02」までと同様なので、解説は省略します。包絡の範囲指定は慣れないと迷いますが、この例では、つくるコーナーをイメージしながら不要になる線を囲むようにするとうまくいきます（下図参照）。

包絡の範囲指定例（「02-03」と「02-04」の場合）

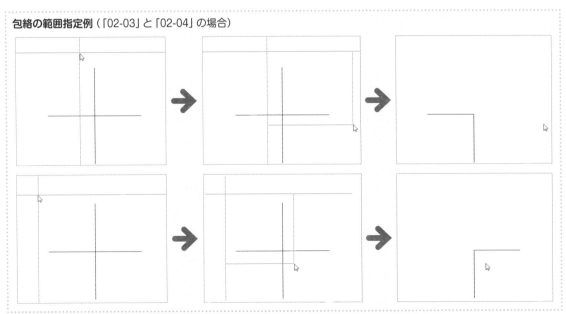

基本ドリル 02-05

「02-05」では、同一線上で離れている2本の線をつなげて1本の直線にします。

使うコマンドは「02-04」までと同じ「コーナー」「伸縮」「包絡」です。

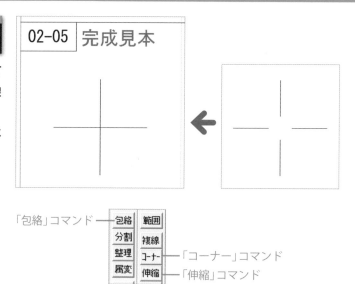

「包絡」コマンド —— 包絡 / 範囲 / 分割 / 複線 / 整理 / コーナー ← 「コーナー」コマンド / 属変 / 伸縮 ← 「伸縮」コマンド

(1)「コーナー」を使う

まず水平線からつなげます。

1 「コーナー」コマンド。

2 左側の水平線を任意位置で🖱。

3 右側の水平線を任意位置で🖱。

注意 2と3の順序は逆でもよい。

重要 この例のように、「コーナー」コマンドはコーナーにならない場合にも使える。

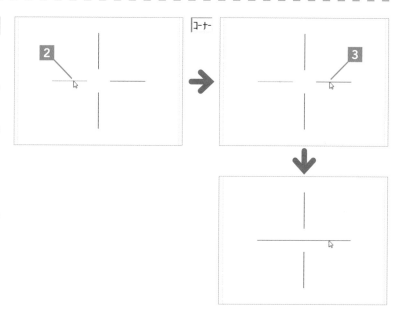

垂直線も同様につなげます。

4 上側の垂直線を任意位置で🖱。

5 下側の垂直線を任意位置で🖱。

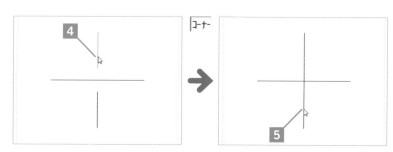

(2) 「伸縮」を使う

まず水平線からつなげます。

1 「伸縮」コマンド。

2 左側の水平線を任意位置で
🖱。

3 水平線を伸ばす先（この場合は
右側の水平線の左端）で
🖱（右）。

注意 先に右側の水平線を指示し、
伸ばす先として左側の水平線の右端
を🖱（右）してもよい。

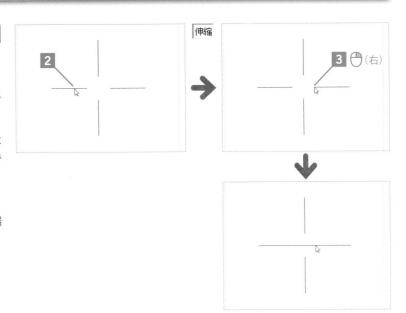

垂直線も同様につなげます。

4 上側の垂直線を任意位置で
🖱。

5 垂直線を伸ばす先（この場合は
下側の垂直線の上端）で
🖱（右）。

(3) 「包絡」を使う

「02-05」の例の場合、「包絡」コマ
ンドを使うと、水平線と垂直線を
1回の操作でつなげます。

1 「包絡」コマンド。

2 図示付近で🖱。

3 包絡範囲を図のように指定して
🖱。

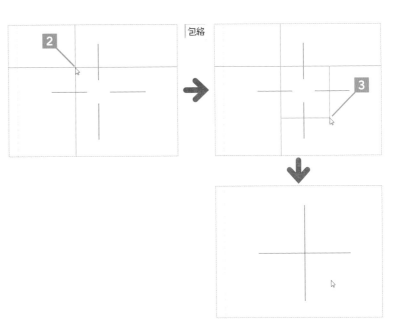

基本ドリル 02-06

「02-06」では、ハの字型に角度差がついて離れている線と線をつなげ、鋭角のコーナーをつくります。使うコマンドは「02-05」までと同じ「コーナー」「伸縮」「包絡」です。

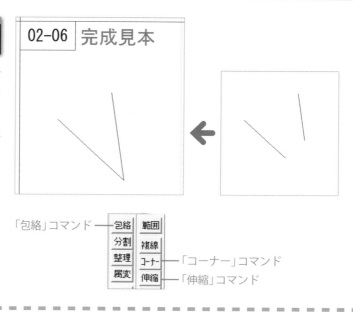

「包絡」コマンド —— 包絡 / 範囲 / 分割 / 複線 / 整理 / コーナー —— 「コーナー」コマンド / 属変 / 伸縮 —— 「伸縮」コマンド

(1) 「コーナー」を使う

1 「コーナー」コマンド。
2 左側の線を任意位置で🖱。
3 右側の線を任意位置で🖱。

注意 2 と 3 の順序は逆でもよい。

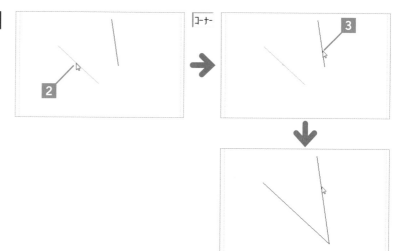

(2) 「伸縮」を使う

この例では線を伸ばす先が特定できないので、まず2本の線を仮に伸ばして交差させ、次に交点まで縮めるという2段階の操作で行います。

1 「伸縮」コマンド。
2 左側の線を任意位置で🖱。
3 図のように、右側の線を伸ばしたときに交差するような位置で🖱して線を仮に伸ばす。

4 右側の線を任意位置で🖱。

5 図のように、左側の線と交差するような位置で🖱して線を仮に伸ばす。

注意 **2** **3** と **4** **5** の順序は逆でもよい。

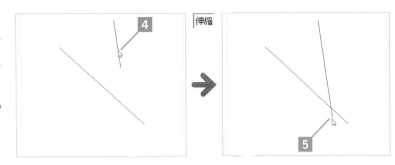

2本の線が交差したので、それぞれの線を交点まで縮めます。

6 左側の線を任意位置で🖱。

7 線を縮める位置（この場合は交点）で🖱（右）。

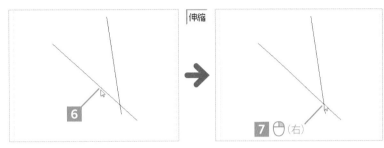

8 右側の線を任意位置で🖱。

9 線を縮める位置（この場合は交点）で🖱（右）。

注意 **6** **7** と **8** **9** の順序は逆でもよい。

やることは単純ですが手数の多い操作になります。Jw_cadによる建築製図では、このようにひと工夫が必要となる場面が多々発生します。

(3) 「包絡」を使う

この例では「包絡」コマンドを使うと、簡単にコーナーがつくれます。

1 「包絡」コマンド。

2 図示付近で🖱。

3 包絡範囲を図のように指定して🖱。

注意 **3** では、結果としてつくられるコーナーの頂点位置まで範囲に含めないと包絡できない。

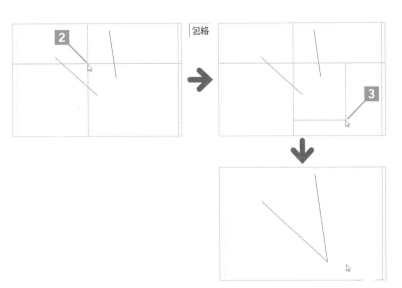

基本ドリル **02-07**

「02-07」では、図のような位置関係にある線どうしをつなげて完成見本のコーナーをつくります。
使うコマンドは「02-06」までと同じ「コーナー」「伸縮」「包絡」です。

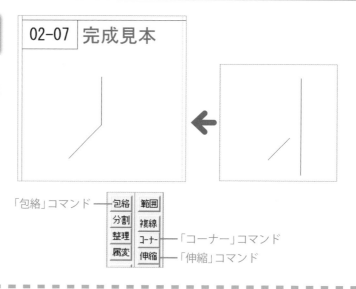

「包絡」コマンド ── 包絡　範囲
　　　　　　　　　分割　複線
　　　　　　　　　整理　コーナー ──「コーナー」コマンド
　　　　　　　　　属変　伸縮 ──「伸縮」コマンド

---

(1) 「コーナー」を使う

1 「コーナー」コマンド。
2 左側の線を任意位置で🖱。
3 垂直線を図示付近で🖱。
注意 ここでのコーナーのつくり方に応じて、左側の線の延長線上よりも上側で🖱する。

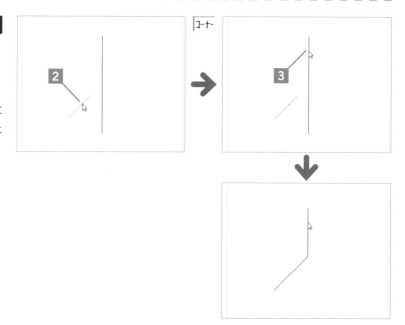

(2) 「伸縮」を使う

この例では左側の線を伸ばす先は垂直線上で読取点がないので、まず左側の線を仮に伸ばして垂直線との交点をつくります。

1 「伸縮」コマンド。
2 左側の線を任意位置で🖱。
3 垂直線をまたいだ任意位置で🖱して線を仮に伸ばす。

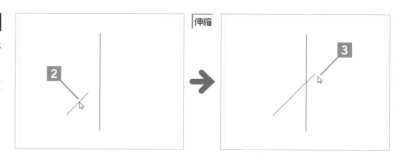

2本の線を交点まで縮めます。

4 左側の線を垂直線の左側で🖰。

5 縮める先として交点で🖰（右）。

6 垂直線を交点の上側で🖰。

7 縮める先として交点で🖰（右）。

注意 **4** **5** と **6** **7** の順序は逆でもよい。

（3）「包絡」を使う

この例では「包絡」コマンドを使うと、簡単にコーナーがつくれます。

1 「包絡」コマンド。

2 図示付近で🖰。

3 包絡範囲を図のように指定して🖰。

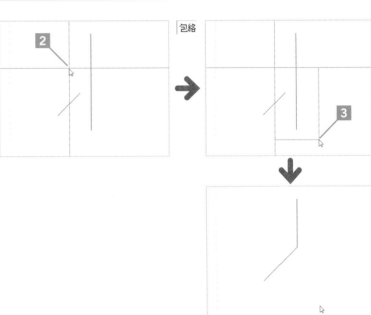

基本ドリル 02-08

「02-08」では、図のような位置関係にある線どうしをつなげて完成見本のコーナーをつくります。

使うコマンドは「02-07」と同じ「コーナー」「伸縮」「包絡」です。

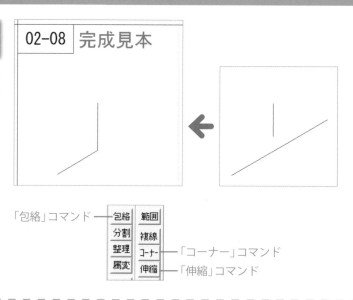

02-08　完成見本

「包絡」コマンド ── 包絡

範囲
分割　複線
整理　コーナー ──「コーナー」コマンド
属変　伸縮 ──「伸縮」コマンド

---

(1)「コーナー」を使う

1「コーナー」コマンド。

2 下側の線を垂直線より左側の位置で🖱。

3 垂直線を任意位置で🖱。

注意 コーナーのできる位置に注意して線を指示する。

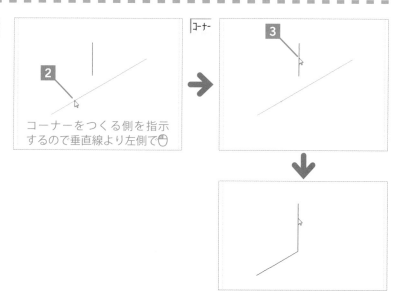

コーナーをつくる側を指示するので垂直線より左側で🖱

(2)「伸縮」を使う

この例では上側の線を伸ばす先の斜線上は読取点がないので、まず上側の線を仮に伸ばして斜線との交点をつくります。

1「伸縮」コマンド。

2 上側の線を任意位置で🖱。

3 図のように、斜線をまたいだ任意位置で🖱して線を仮に伸ばす。

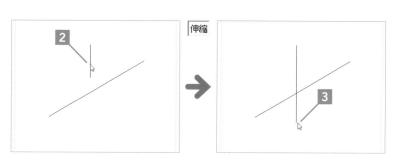

2本の線を交点まで縮めます。

4 上側の線を斜線の上側で🖱。

5 縮める先として交点で🖱（右）。

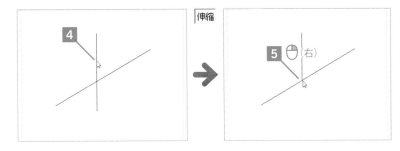

6 斜線を交点の左側で🖱。

7 縮める先として交点で🖱（右）。

注意 4 5 と 6 7 の順序は逆でも
よい。

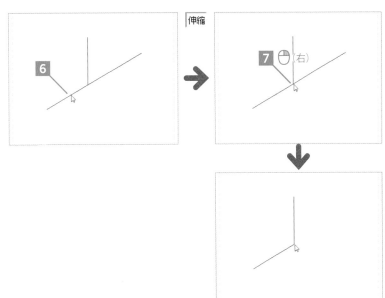

(3)「包絡」を使う

この例では「包絡」コマンドを使う
と、簡単にコーナーがつくれます。

1 「包絡」コマンド。

2 図示付近で🖱。

3 包絡範囲を図のように指定して
🖱。

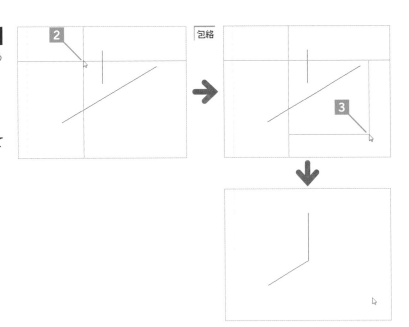

作図済みの線を利用して線を増やす

基本ドリル03では作図済みの線を利用して線を増やします。同じ線や図形を等間隔でたくさんかくような場合に便利な機能です。

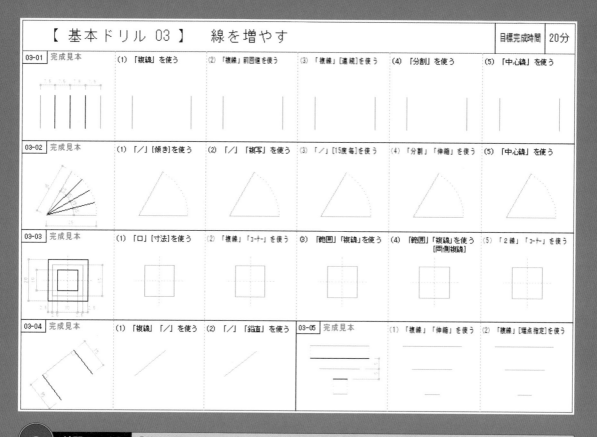

| 【 基本ドリル 03 】　　　線を増やす | | | | | 目標完成時間 | 20分 |

練習ファイル　「ドリル図面」フォルダ ▶ 「基本ドリル」フォルダ ▶ 「基本ドリル03.jww」

基本ドリル 03-01

「03-01」では、作図済みの2本の平行線の間に線を増やします。左側の線をもとに右方向に7.5mm間隔で線を増やします。
「複線」「分割」「中心線」コマンドを使い分けます。

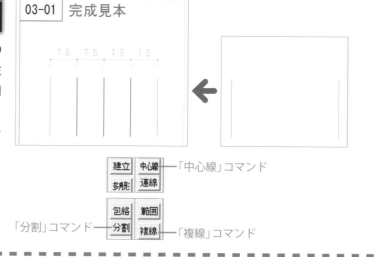

(1) 「複線」を使う

1 「複線」コマンド。

2 左側の線を任意位置で🖱。

3 コントロールバー「複線間隔」に「7.5」をキー入力する。

4 マウスを右方向に移動し、赤い仮の複線が図の位置に表示されるようにする。

5 🖱して右側複線を確定する。

注意 複線はもとの線に対して両側に（2通り）かけるので、ここでは右側を選択する。

6 このあとは2〜5の操作を繰り返して、あと2本複線する。

🖱した線の色が変わる

右側複線の確定

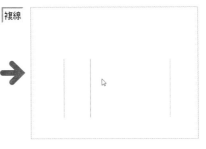

(2) 「複線」前回値を使う

1回複線したあとで同じ間隔の複線を行う場合は前回値機能が使えます。ここでは、前項（1）の複線操作のあとという前提で解説します。

1 左側の線を任意位置で🖱（右）。

重要 前回値機能が使えるときはステータスバーに表示される。

2 マウスを右方向に動かし、右側複線で🖱する。

3 このあとは同様の操作を繰り返して、あと2本複線する。

複線にする図形を選択してください マウス(L)　前回値 マウス(R)

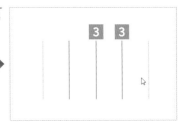

(3) 「複線」連続を使う

1回複線したあとで同じ間隔・方向の複線を繰り返す場合は「連続」機能が使えます。

1 1回複線する（ここでは前項（1）の2〜5と同様の複線）。

2 コントロールバー「連続」を🖱。

3 このあとはコントロールバー「連続」の🖱を繰り返して、あと1本複線する。

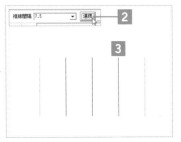

(4)「分割」を使う

「分割」コマンドは2本の線の内側に同じ長さの線をかくことでスペースを分割する機能なので、結果として線を増やせます。

1 「分割」コマンド。

2 コントロールバー「等距離分割」を🖱して◉の状態にする（初期設定なので通常は確認するだけでよい）。

3 コントロールバー「分割」に「4」をキー入力する。

4 左側の線を任意位置で🖱。

5 右側の線を任意位置で🖱。

注意 4分割なので線が3本かかれる。

(5)「中心線」を使う

「中心線」コマンドは2本の線の内側中心に任意長さの線をかく機能なので、これを応用して線を増やす例を紹介します。

1 「中心線」コマンド。

2 左側の線を任意位置で🖱。

3 右側の線を任意位置で🖱。

次に中心線の長さ（始点・終点）を決めますが、ここでは作図済みの線と同じ長さ・位置に設定する例で操作します。

4 中心線の始点位置として、左側の線の上端点で🖱（右）。

5 仮の中心線が表示されるので、終点位置として、左側の線の下端点で🖱（右）。

注意 中心線の始点・終点位置は、中心線の延長線上以外に周囲の適当な読取点を指示することでも指定できる。

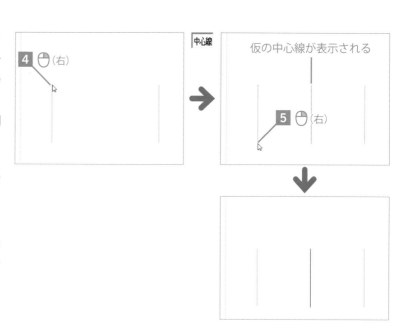

完成見本のようにするには、いまかいた中心線を利用して、左側半分と右側半分にそれぞれ中心線をかきます。操作要領は同様なので、解説は省略して図のみ掲載します。

6 まず、左側の中心線をかく。

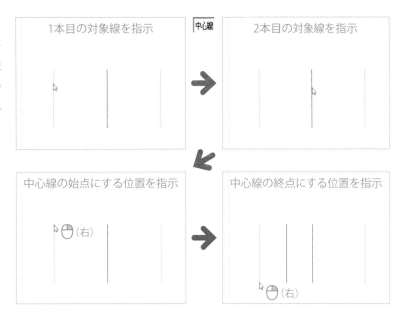

7 続いて、右側の中心線をかく。

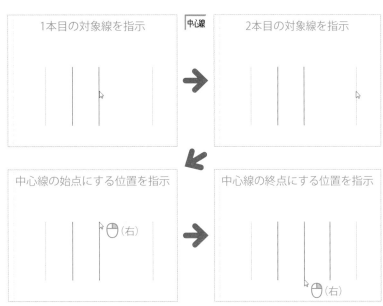

基本ドリル 03-02

「03-02」では作図済みの角度線（角度60°、半径25mm）の間に線を増やします。ここでは角度線内を15°ごとに分割する線をかきます。「／」「図形複写（複写）」「分割」「中心線」「伸縮」コマンドを使い分けます。

なお、作図練習しやすくするため、2本の角度線を結ぶ円弧を補助線（ピンク色の点線）で作図してあります。

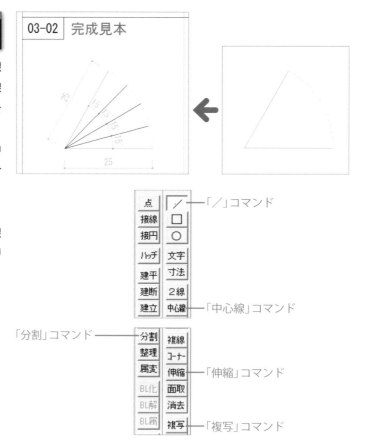

(1) 「／」傾きを使う

1 「／」コマンド。

2 コントロールバー「傾き」に「15」をキー入力する。

注意 傾きはX軸正方向を0°として反時計回りに指定する。

3 コントロールバー「寸法」に「25」をキー入力する。

4 線の始点として、角度線の頂点を🖱（右）。

5 線確定の🖱。

6 続けて、コントロールバー「傾き」に「30」をキー入力する。

7 線の始点として、角度線の頂点を🖱（右）。

8 同様にして、「傾き」が「45」の線をかく。

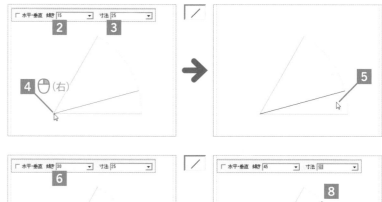

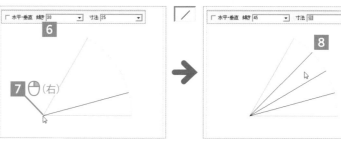

(2) 「／」「複写」を使う

まず最初の15°線をかきます。

1 「／」コマンド。

2 コントロールバー「傾き」に「15」をキー入力する。

3 コントロールバー「寸法」に「25」をキー入力する。

4 線の始点として、角度線の頂点を🖱（右）。

5 線確定の🖱。

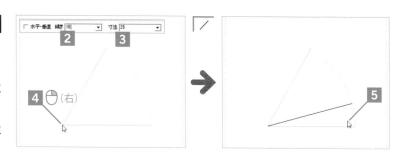

かいた15°線を回転複写するので、コマンドを変えます。

6 「複写」コマンド。

7 図形複写範囲の始点として、図示付近を🖱。

8 表示される範囲枠で確認しながら、図形複写範囲の終点として、図示付近を🖱。

注意 下側の角度線（緑色の線）を範囲に含めないようにする。

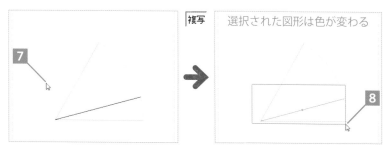

選択された図形は色が変わる

9 コントロールバー「基準点変更」を🖱。

10 図形複写の基準点として、頂点を🖱（右）。

11 コントロールバー「回転角」の▼ボタンを🖱して開くメニューから「15」を選択する。

12 選択した線が15°回転して30°になるので、複写先として、頂点を🖱（右）。

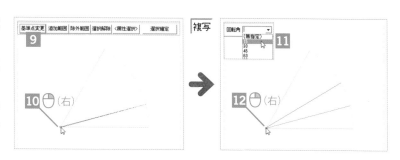

13 同じ線の複写モードが続くので、コントロールバー「連続」を🖱。

重要 **13**でのかきかたもいろいろ考えられるが、この場合は連続複写機能の利用が簡便。

14 「／」コマンドを選択して複写モードを解除し、線の複写を確定する。

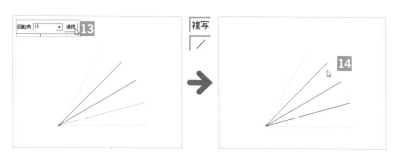

重要 あるコマンドの操作をやめたいときは別のコマンド（ここでは「／」コマンド）を選択する。

(3) 「／」15°毎を使う

1 「／」コマンド。

2 コントロールバー「寸法」に「25」をキー入力する。

3 コントロールバー「15度毎」をチェックする。

4 線の始点として、角度線の頂点を🖱(右)。

5 マウスを適当に右上方向に移動し、図のように仮の15°線が表示されたら確定の🖱。

注意 「15度毎」➡ **p.31** 。

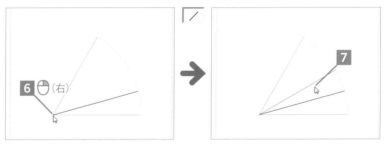

6 15°線毎モードが続くので、次の30°線をかくために、線の始点として、角度線の頂点を🖱(右)。

7 マウスを適当に右上方向に移動し、図のように仮の30°線が表示されたら確定の🖱。

8 同様に、次の45°線をかくために、線の始点として、角度線の頂点を🖱(右)。

9 マウスを適当に右上方向に移動し、図のように仮の45°線が表示されたら確定の🖱。

(4) 「分割」「伸縮」を使う

1 「分割」コマンド。

2 コントロールバー「等距離分割」を🖱して⦿の状態にする。

3 コントロールバー「分割」に「4」をキー入力する。

4 下側の線を任意位置で🖱。

5 上側の線を任意位置で🖱。

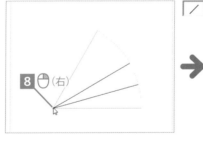
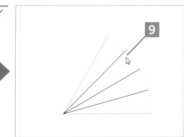
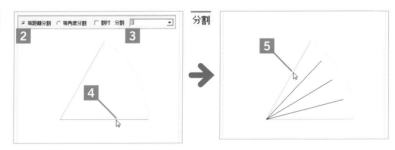

分割線の長さが足りないので（円弧に届いていないので）、「伸縮」コマンドで調整します。

6 「伸縮」コマンド。

7 15°線を🖰。

8 伸ばす先として、円弧の外側の任意位置を🖰。

注意 伸ばす先の円弧との交点に読取点がないので、ここではいったん円弧を横切る線にする。

9 同様にして、30°線、45°線も円弧の外側まで伸ばす。

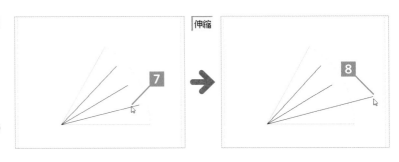

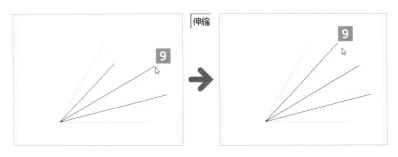

伸ばした3本の線を円弧上まで縮めます。

10 15°線を🖰。

11 縮める先として、円弧との交点を🖰（右）。

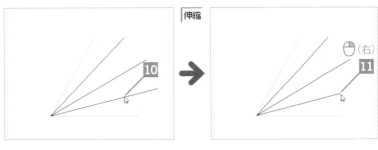

12 同様にして、30°線、45°線も円弧上まで縮める。

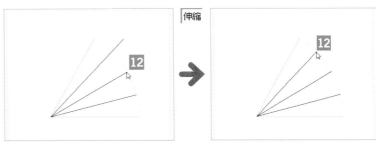

(5) 「中心線」を使う

「中心線」コマンドを使って、まず30°線をかきます。

1 「中心線」コマンド。

2 上側の線を任意位置で🖰。

3 下側の線を任意位置で🖰。

4 中心線の始点位置として、頂点で🖱（右）。

5 中心線の終点位置に読取点がないので、ここでは角度線の長さが25mmと決まっていることを利用して、コントロールバー「中心線寸法」も「25」とキー入力してから、マウスを右上方向に移動して確定の🖱。

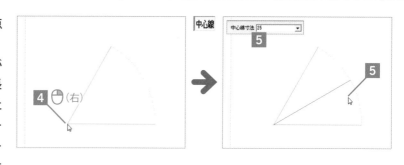

15°線と45°線は、基本ドリル「03-01」の（5）と同じ要領で中心線作図を繰り返すことでかきます。

6 「中心線」コマンドで15°線をかく。

7 「中心線」コマンドで45°線をかく。

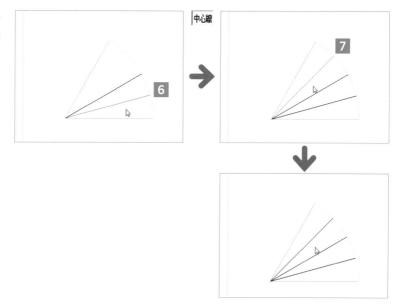

基本ドリル 03-03

「03-03」では二重正方形の中間に正方形を追加します。

「□（矩形）」「複線」「コーナー」「範囲選択（範囲）」「2線」コマンドを使い分けます。

なお、作図練習しやすくするため、正方形の中心を通る補助線（水平・垂直線）を作図してあります。

また、完成見本には各部の寸法を記入してあります。作図のときに参照してください。

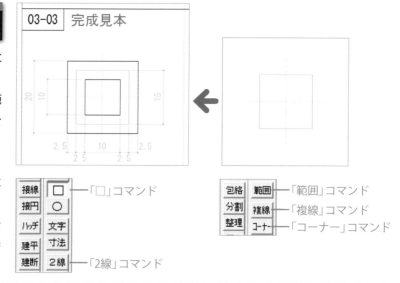

(1) 「□」寸法を使う

1 「□」コマンド。

2 コントロールバー「寸法」に「20,20」をキー入力する。

注意 正方形（長方形）の「横（水平方向），縦（垂直方向）」の順にカンマ記号で区切って入力する。

3 寸法20×20の正方形が仮表示されるので、正方形の中心にする位置（ここでは補助線の交点）を🖰（右）。

4 同様にして、寸法10×10の正方形をかく。

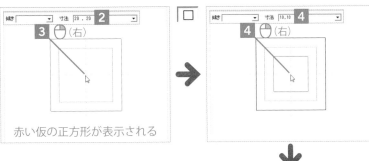

赤い仮の正方形が表示される

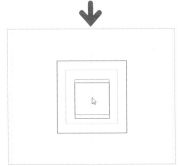

(2) 「複線」「コーナー」を使う

まず寸法20×20の正方形を外側にかきます。作図済みの正方形の左辺から1本ずつ複線していきます。

1 「複線」コマンド。

2 複線する線として、まず作図済みの正方形の左辺を🖰。

3 コントロールバー「複線間隔」に「2.5」とキー入力する。

4 作図する正方形は外側なので、マウスを左方向に移動して、確定の🖰。

5 同様にして、正方形の上辺を複線間隔2.5で上側に複線する。

注意 同じ複線間隔なので、上辺は右クリックすると「複線間隔」の入力が省ける（前回値 ➡ p.47 ）。ただし、複線方向の指示は必要。

6 同様にして、正方形の右辺を複線間隔2.5で右側に複線する。

7 同様にして、正方形の下辺を複線間隔2.5で下側に複線する。

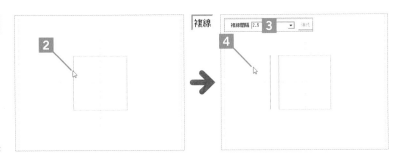

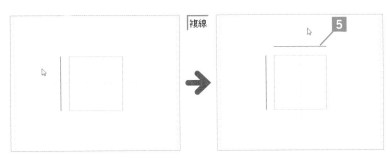

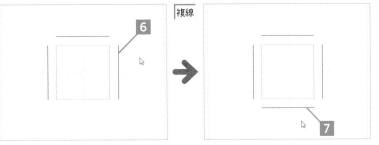

続けて、同様にして寸法10×10の正方形を内側にかきます。

8 正方形の左辺を右側に複線する。

9 正方形の上辺を下側に複線する。

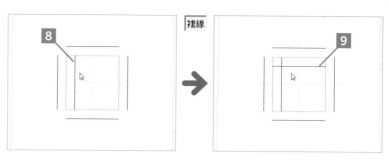

10 正方形の右辺を左側に複線する。

11 正方形の下辺を上側に複線する。

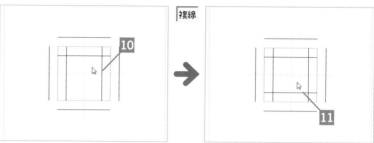

複線した4本の線のコーナーをつなぎ、1つの正方形に加工します。外側および内側それぞれで行います。

12 「コーナー」コマンド。

13 外側上部の線を🖰。

14 外側左部の線を🖰してコーナーにする。

15 外側左部の線を🖰。

16 外側下部の線を🖰してコーナーにする。

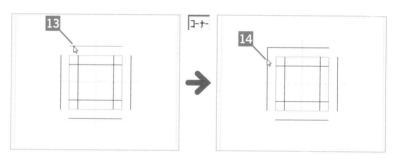

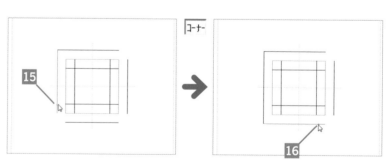

17 同様にして、外側右部の線も順次コーナー処理して、外側の寸法20×20の正方形を完成させる。

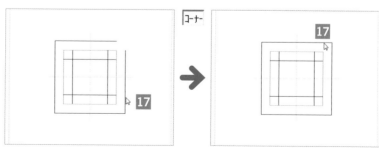

18 同様にして、内側の寸法10×10の正方形もコーナー処理で完成させる。

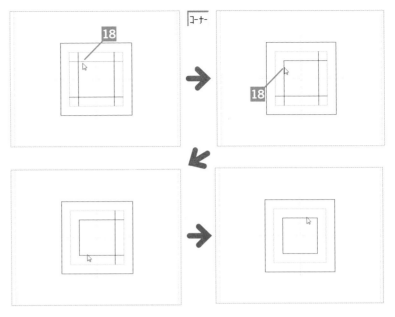

(3)「範囲」「複線」を使う

作図済みの正方形を選択し全体を一括で複線します。図形が単純で範囲選択しやすいときに有効です。外側、内側の順にかきます。

1「範囲」コマンド。

2 作図済みの正方形全体を選択するので、まず範囲選択の始点として図示付近を🖱。

3 マウスを移動して範囲選択の終点として図示付近を🖱。正方形だけ色が変わればよい。

注意 補助線も図形として扱われるので選択範囲に含めないようにする。

4「複線」コマンド。

5 コントロールバー「複線間隔」に「2.5」をキー入力して、マウスを外側に移動し、確定の🖱。

6 同様にして、内側10×10の正方形もかく。

重要 範囲選択による複線では前回値複線が使えないが、コントロールバー「複線間隔」ボックスの▼ボタンを🖱すると過去に使った値（履歴リスト）が表示されるので、🖱で「2.5」を選択できる。

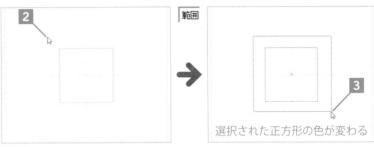

選択された正方形の色が変わる

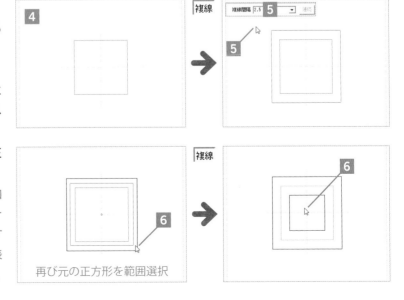

再び元の正方形を範囲選択

(4)「範囲」「複線」両側複線を使う

前項（3）と同じ「範囲」コマンドを使いますが、「複線」コマンドでは両側複線機能を利用して2つの正方形を一括でかきます。

1 「範囲」コマンドで、作図済みの正方形を選択する。

2 「複線」コマンドを選択し、コントロールバー「複線間隔」に「2.5」をキー入力する。

3 コントロールバー「両側複線」を🖱。

(5)「2線」「コーナー」を使う

作図済み線の両側に平行線をかく「2線」コマンドで、さらに連続2線機能を利用します。

1 「2線」コマンド。

2 コントロールバー「2線の間隔」に「2.5,2.5」をキー入力する。

重要 2線の間隔とは作図済みの線から両側にかく線までの距離（寸法）のこと。両側で間隔を変えることもできるが本書では扱わない。

3 2線の基準線として作図済みの正方形の左辺を🖱。

4 2線の始点として作図済みの正方形の外側の図示付近を🖱。

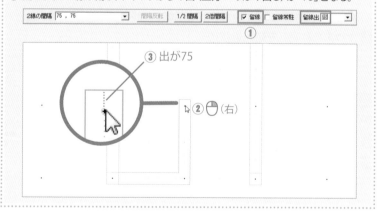

「2線」コマンドの「留線」モード

① コントロールバー「留線」にチェックを付け、「留線出」に「75」をキー入力する。

② 図の黒色グリッドを🖱（右）。

③ 図のように2線が閉じ、グリッドからの出（上方へのはみ出し）が「75」となる。

③ 出が75

② 🖱（右）

ここで終点を指示すれば2線の作図は完了ですが、2線を正方形の周囲（4辺）に沿わせる連続2線機能を利用するので、まだ終点は指示しません。

5 作図済みの正方形の下辺を🖱🖱して基準線を変える。

6 マウスを右方向に移動して仮の2線を下辺に沿わせ、続いて右辺を🖱🖱して基準線を変える。

注意 2線の作図途中での基準線変更は、次（変更後）の基準線にする線を🖱🖱。

7 マウスを上方向に移動して仮の
2線を右辺に沿わせ、続いて上
辺を🖰🖰して基準線を変え、
2線の終点として正方形の外側
の図示付近を🖰。

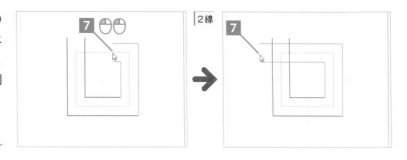

あとは、左上部分の線のはみ出し
を処理すればOKです。

8 「コーナー」コマンド。
9 図のように、内側と外側の2個
所をそれぞれコーナー処理し
て正方形の頂点にする。

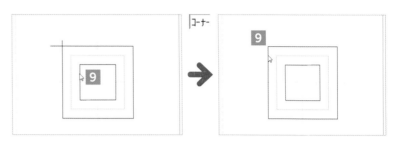

基本ドリル03-04

「03-04」では作図済みの斜線の両
端から決まった寸法の垂直線をか
き足します。
「複線」「／」「消去」「線鉛直角度取
得（鉛直）」コマンドを使い分けま
す。

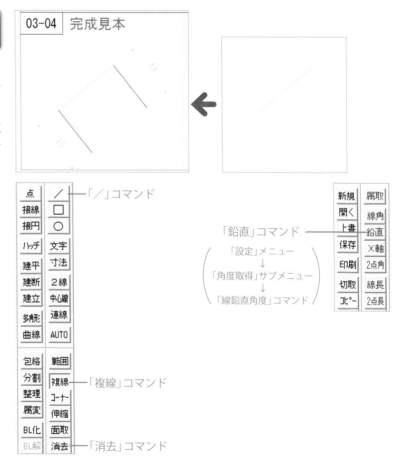

(1) 「複線」「/」「消去」を使う

まず、垂直線をかくための目安の線をかきます。

1 「複線」コマンド。

2 作図済みの斜線を🖱。

3 コントロールバー「複線間隔」に「15」をキー入力する。

4 マウスを右下方向に移動し、複線確定の🖱。

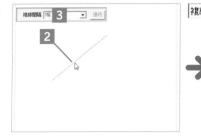

2本の線の端点どうしを結ぶことで垂直線をかきます。

5 「/」コマンド。

6 作図済みの斜線の右端を🖱(右)。

7 複線の右端を🖱(右)。

8 同様にして、反対側の端点どうしも結ぶ。

9 「消去」コマンド。

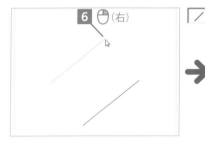
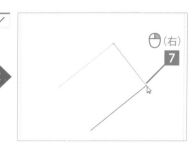

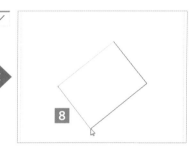

10 最初にかいた目安の複線を🖱(右)して、消去する。

重要 「消去」コマンドで線を🖱(右)すると、線が消去される。

(2) 「/」「鉛直」を使う

「線鉛直角度取得」は他の作図コマンド実行中に割り込み処理で作図済みの線の角度を調べ、それに垂直な角度を取得するコマンドです。

1 「/」コマンドで、コントロールバー「寸法」に「15」をキー入力する。

2 「鉛直」コマンド。

3 垂直線をかきたい基準線として、作図済みの斜線を🖱。

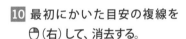

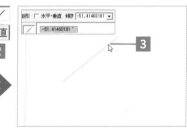

重要 たとえば「/」コマンド実行中に「鉛直」コマンドを実行すれば、作図済みの線に対して垂直な線がかけるようになる。

4 作図済みの斜線の右端点を
　🖱(右)すると寸法15の垂直線
　が表示されるので、確定の🖱。

重要 「鉛直」コマンドで基準線を指
示すると、画面左上に取得した角度
が表示され、「／」コマンド実行中なら
ばコントロールバー「傾き」にその値
が自動入力される。

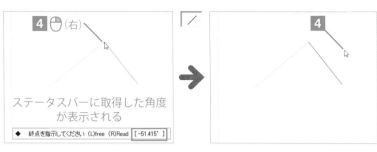

ステータスバーに取得した角度
が表示される

◆　終点を指示してください　(L)free　(R)Read　[-51.415°]

5 同様にして、左端点にも垂直線
　をかく。

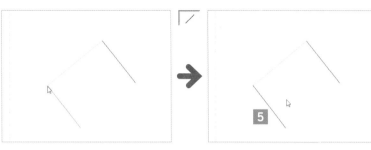

基本ドリル 03-05

「03-05」では寸法（始点・終点）の
異なる3本の水平線の間に寸法の
決まった水平線をかき足します。
「複線」「伸縮」コマンドを使い分け
ます。

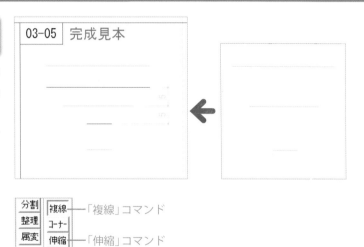

分割	複線	——「複線」コマンド
整理	コーナー	
属変	伸縮	——「伸縮」コマンド

---

(1)「複線」「伸縮」を使う

まず、上側に水平線をかきます。

1 「複線」コマンド。

2 中央の水平線を🖱。

3 コントロールバー「複線間隔」に
　「5」をキー入力する。

4 マウスを上方向に移動し、複線
　確定の🖱。

続いて、下側に水平線をかきます。

5 中央の水平線を🖱️（右）して前回値複線する。

6 マウスを下方向に移動し、複線確定の🖱️。

作図した平行線を完成見本の寸法に変更します。まず、上側に複線した水平線を一番上の水平線に合わせます。

7 「伸縮」コマンド。

8 上側に複線した水平線を🖱️。

9 伸ばす先として、一番上の水平線の左端を🖱️（右）。

10 同様に、右端を伸ばして合わせる。

続いて、下側に複線した水平線を一番下の水平線に合わせます。

11 同様にして、下側に複線した水平線を一番下の水平線に合わせる。

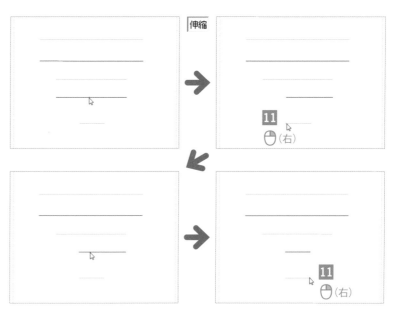

(2) 「複線」端点指定を使う

前項（1）で行った操作は、「複線」コマンドの端点指定機能を使うと簡単にできます。

まず、上側に水平線をかきます。

1 「複線」コマンド。

2 中央の水平線を🖱(右)。

注意 ここでは前回値複線（複線間隔「5」）を使用している。

3 コントロールバー「端点指定」を🖱。

注意 複線の確定前に「端点指定」を選択する。

4 複線の端点（始点）として、一番上の水平線の左端を🖱(右)。

5 複線の端点（終点）として、一番上の水平線の右端を🖱(右)。

6 マウスを上方向に移動し、複線確定の🖱。

同様にして、下側に水平線をかきます。

7 中央の水平線を🖱(右)。

8 コントロールバー「端点指定」で一番下の水平線に合わせて複線する。

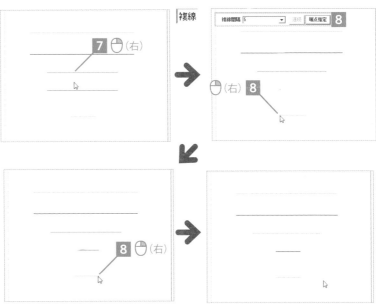

基本ドリル04では作図済みの線と文字を消去したり伸縮したりします。なお、一部のドリルには文字が記入してあり、線とともに文字についても同様の操作を行う場合がありますが、文字についてはあとのドリルで詳しく扱うので、ここでは深く学びません。

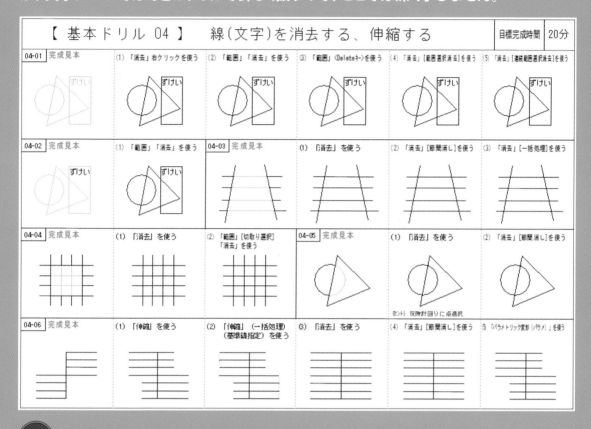

【 基本ドリル 04 】　　線（文字）を消去する、伸縮する　　目標完成時間 20分

練習ファイル　「ドリル図面」フォルダ ► 「基本ドリル」フォルダ ► 「基本ドリル04.jww」

基本ドリル **04-01**

「04-01」では、作図済みの線（図形）と文字を消去します。

「消去」「範囲」コマンドを使います。

なお、完成見本のグレーの線と文字は消去した内容がわかるように薄くかいたものです。

注意 文字に対する操作は、ここでは記入済みの文字を消去するだけにとどめる。

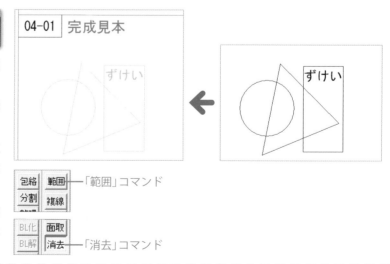

04-01　完成見本

「範囲」コマンド
「消去」コマンド

(1) 「消去」右クリックを使う

まずはもっとも基本的な消去操作である右クリックによる線1本ずつの消去を行います。ここでは円（円周）を消去します。

1 「消去」コマンド。

2 円（円周上）の任意の位置を🖱（右）。

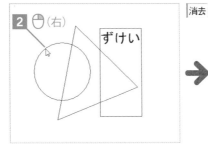

円が消去されます。

重要 「消去」コマンドの右クリック消去は、指示した線を1本ずつ消去する機能になる。円の場合は全体が消去される。長方形などの多角形は、各辺が1本ずつ消去される。文字は記入した時点でのまとまりとしての文字列全体が消去される（以上、図を参照）。

3 同様にして、図のように作図済み図形の各辺を🖱（右）して、1本ずつ消去していく。

注意 右に示した一連の図は、操作を一部割愛している。

4 文字は、文字列上の任意の位置で🖱（右）して消去する。

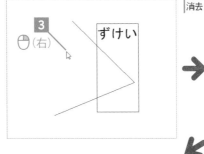

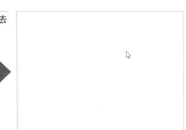

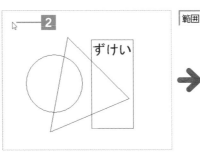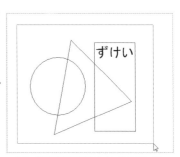

(2) 「範囲」「消去」を使う

複数の線（図形）、文字を一括で消去する場合は、それらを範囲選択でまとめて指定し、消去します。

1 「範囲」コマンド。

2 図のように、作図済みの線、図形、文字がすべて含まれるよう、始点の🖱に続いてマウス移動して囲む。

注意 終点（範囲）確定の🖱はまだしない。

赤い範囲選択枠ですべてを囲む

③ 終点（範囲）確定の🖱（右）。

④ 範囲選択で消去対象になった
　ものは色が変わるので、それを
　確認する。

⑤「消去」コマンド。

範囲選択した全体が消去されます。

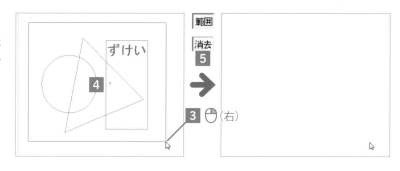

注意 ③ の 範 囲 選 択 の 終 点 を、
🖱（右）ではなく🖱で指示すると、範囲
に含まれていても文字は選択されない
（右図参照）。これは文字を消去対象
から除外するための機能である
➡ **p.67**。

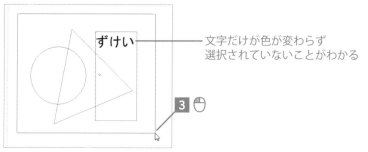

文字だけが色が変わらず
選択されていないことがわかる

(3)「範囲」Deleteキーを使う

前項（2）と同じ範囲選択後の一括
消去ですが、「消去」コマンドでは
なく「Delete」キーを使います。機
能や結果は同じです。

① 「範囲」コマンドで図のように囲
　む。終点は🖱（右）。

② キーボードの「Delete」キーを
　押す。

注意「BackSpace」キーでは、この
機能は働かない。

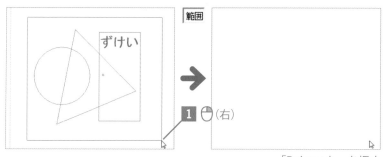

「Delete」キーを押す

(4)「消去」範囲選択を使う

「消去」コマンドを実行してから消
去対象の線（図形）や文字を範囲
選択する方法を練習します。

① 「消去」コマンド。

② コントロールバー「範囲選択消
　去」ボタンを🖱。

③ 図のように囲む。終点は🖱（右）。

④ コントロールバー「選択確定」
　ボタンを🖱。

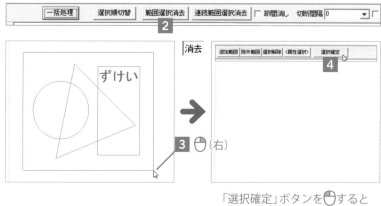

「選択確定」ボタンを🖱すると
消去される

(5) 「消去」範囲選択を使う

前項（4）と同様の消去方法です
が、ここでは消去対象の線（図形）
や文字を個別に範囲選択する方
法を練習します。

1 「消去」コマンド。

2 コントロールバー「連続範囲選
　択消去」ボタンを🖱。

3 図のように囲む。終点は🖱。

注意 消去対象に文字がないので、
3 の範囲選択の終点は🖱、🖱（右）ど
ちらでもよい。

4 コントロールバー「選択確定」
　ボタンを🖱。

5 連続範囲選択消去モードが続
　くので、同様にして、残りをすべ
　て消去する。

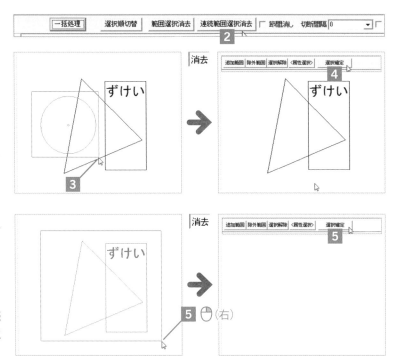

基本ドリル 04-02

「04-02」では、前項「04-01」と同
様に作図済みの線（図形）を消去
しますが、ここでは範囲に文字が
含まれていても消去対象にしない
選択方法を練習します。

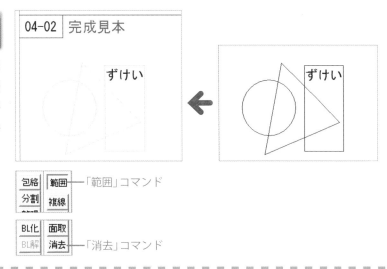

「範囲」「消去」を使う

前項（2）と同様の消去方法です
が、ここでは消去対象から文字を
除外します。

1 「範囲」コマンド。

2 図のように囲む。終点は🖱。

3 「消去」コマンド。

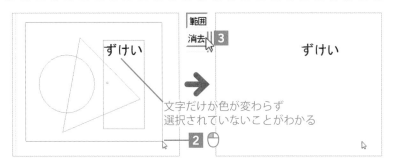

基本ドリル 04-03

「04-03」では、複数の平行線を1本ずつまたはまとめて消去します。

「消去」コマンドを使います。

なお、完成見本のグレーの線は消去した水平線がわかるように薄くかいたものです。

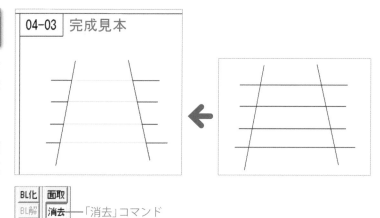

```
BL化  面取
BL解  消去 ——「消去」コマンド
```

---

(1) 「消去」を使う

読取点を利用して線の一部分を消去します。

1 「消去」コマンド。

2 消去する線を🖱。

3 部分消去の始点を🖱(右)。

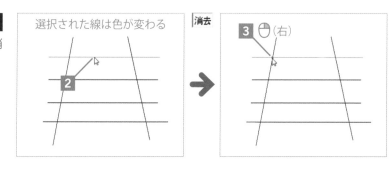

4 部分消去の終点を🖱(右)。

5 同様にして、あと3本の水平線も部分消去する(図は最後の水平線の消去)。

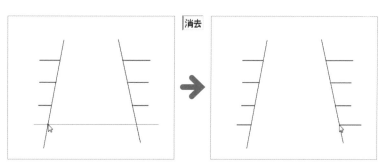

(2) 「消去」節間消しを使う

前項と同様、読取点を利用して線の一部分を消去します。「節間消し」機能を利用することで、1回の🖱で消去できます。

1 「消去」コマンド。

2 コントロールバー「節間消し」にチェックを付ける。

3 部分消去する線の対象部分（読取点間＝節間）を🖱。

4 節間消しモードが続くので、対象線の対象部分を順次🖱する。

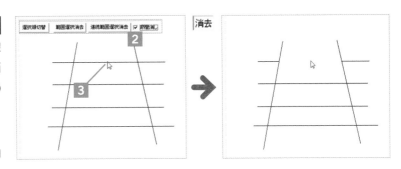

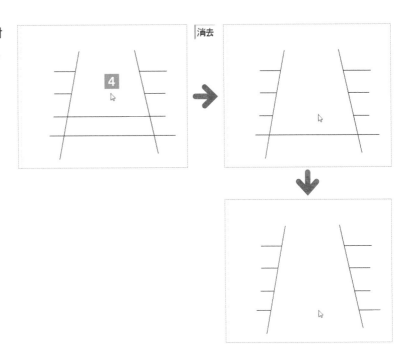

(3) 「消去」一括処理を使う

複数の線を選択し、一括して部分消去します。

1 「消去」コマンド。

2 コントロールバー「節間消し」のチェックを外し、「一括処理」ボタンを🖱。

3 一括処理で部分消去する消し始めの基準線を🖱。

4 一括処理で部分消去する消し終わりの基準線を🖱。

重要 範囲指示がわかりにくいが、一度操作してみれば理解できる。

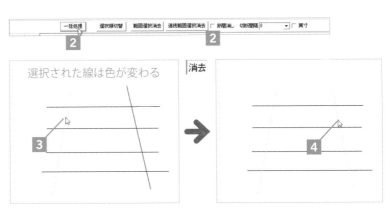

5 一括処理で部分消去する始線を🖱。

6 マウス移動して、一括処理で部分消去する終線を🖱。

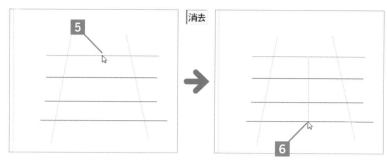

7 対象となる線の色が変わるので、コントロールバー「処理実行」ボタンを🖱。

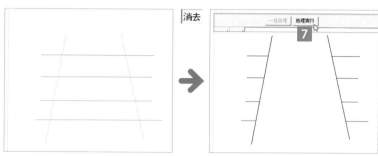

基本ドリル **04-04**

「04-04」では、複雑に交差した複数の線から選択して一部分を消去します。
「消去」「範囲」コマンドを使います。

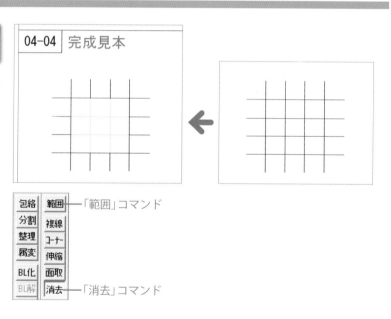

(1) 「消去」を使う

読取点を利用して線の一部分を消去します。
まず上から2番目の水平線の格子の内部を部分消去します。

1 「消去」コマンド。

2 部分消去する線を🖱。

3 部分消去の始点を🖱(右)。

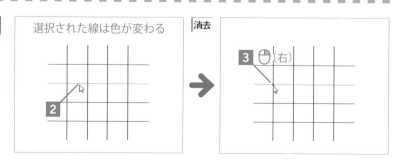

4 部分消去の終点を🖱（右）。

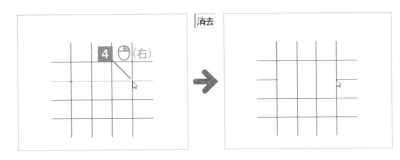

5 同様にして、他の線（水平線
1本、垂直線2本）も部分消去
する（図は操作を一部割愛）。

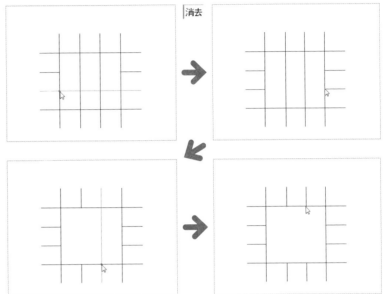

(2)「範囲」切取選択「消去」を使う

複数の線の一部分を範囲選択し
て、範囲に含まれるすべての線を
切り取るように消去します。

1「範囲」コマンド。

2 コントロールバー「切取り選択」
にチェックを付ける。

3 切り取る範囲の始点を🖱（右）。

4 マウス移動して、切り取る範囲
の終点を🖱（右）。

5「消去」コマンド。

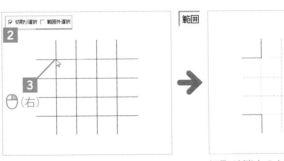

切取り消去の対象線はピンク色の
点線、切取り消去の境は水色の線
に変わる（境の線は消去されない）

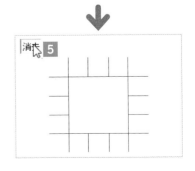

基本ドリル 04-05

「04-05」では、円（円周）の一部分を消去します。
「消去」コマンドを使います。

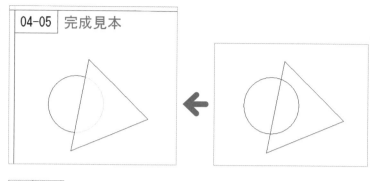

「消去」コマンド

---

(1)「消去」を使う

読取点を利用して円（円周）の一部分を消去します。

1 「消去」コマンド。

2 部分消去する円を🖱。

注意 円（円周）を部分消去する場合はどちら側を消去するか2通りある。消去する部分の始点→終点指示が反時計回りになるように順番に🖱（右）すること。

3 部分消去の始点を🖱（右）。

4 部分消去の終点を🖱（右）。

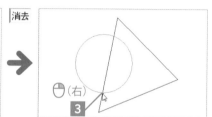

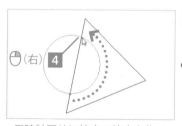

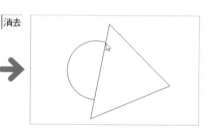

反時計回りに始点→終点を指示

(2)「消去」節間消しを使う

節間消し消去を利用して円（円周）の一部分を1回の操作で消去します。

1 「消去」コマンド。

2 コントロールバー「節間消し」を🖱。

3 円（円周）の部分消去する側を🖱。

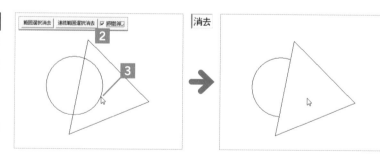

基本ドリル04-06

「04-06」では、多数の水平線の位置を揃えます。
「伸縮」「消去」「パラメトリック変形（パラメ）」コマンドを使います。

注意 「パラメ」コマンドは「パラメトリック変形」コマンドという。以降、「パラメ」コマンドと表記する。

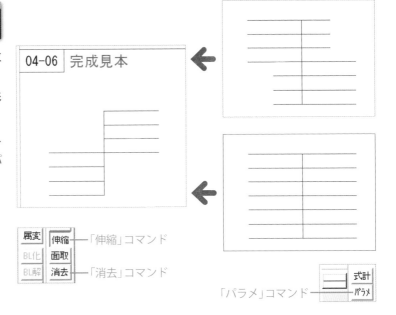

---

(1) 「伸縮」を使う

多数の水平線を縮めたり伸ばしたりする練習です。

1 「伸縮」コマンド。

2 一番上の線を🖰。

3 4本目の水平線右端まで伸ばすので、図の端点を🖰（右）。

4 同様にして、その下の2本の水平線も、4本目の水平線右端まで伸ばす。

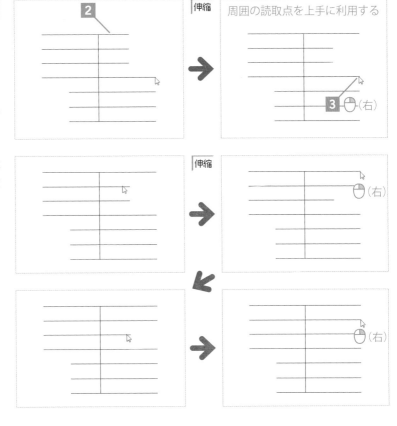

5 同様にして、その下の3本の水平線を、上の水平線左端まで伸ばす。

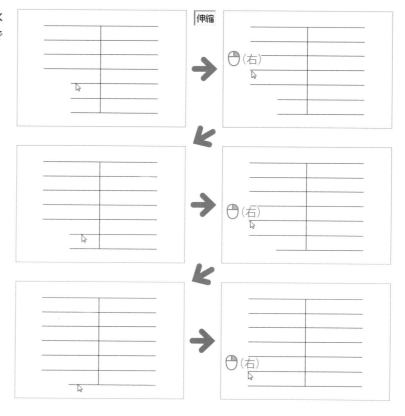

6 同様にして、一番上の水平線左側を中央の垂直線まで縮める。

注意 線を縮める場合は、線を残す側で線を🖱すること。

7 同様にして、その下の水平線左側を中央の垂直線まで縮める。

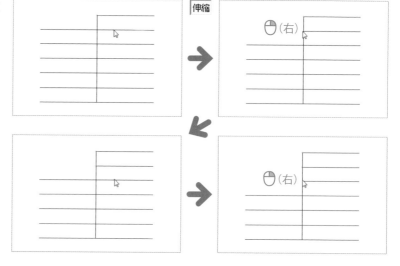

8 図の水平線右側を中央の垂直
　線まで縮める。

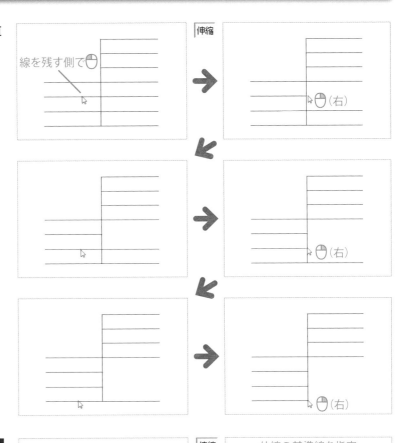

(2) 「伸縮」一括処理を使う

多数の水平線の伸縮は手間がか
かるので、効率的に行う方法を練
習します。

なお、ここでの機能を行うために
必要な補助線（ピンク色の垂直
線）をかいてあります。

1 「伸縮」コマンド。

2 伸縮基準線として、図の補助線
　を🖱️🖱️（右）。

重要 伸縮先とする基準線を指定す
る🖱️🖱️（右）は覚えにくいが、覚えると
便利なのでマスターしてほしい。

3 伸ばす水平線を🖱️。

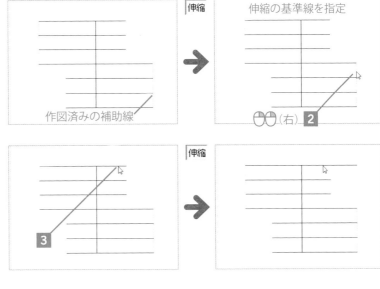

4 同様にして、伸ばす水平線2本を順次🖱。

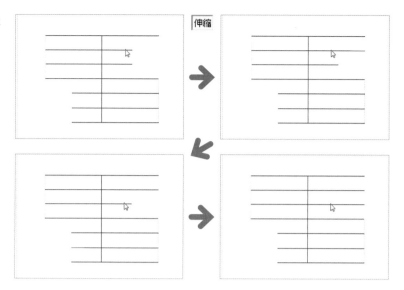

同様にして、下側の3本の水平線を左に伸ばします。

5 図の補助線を🖱🖱（右）して伸縮基準線を変更する。

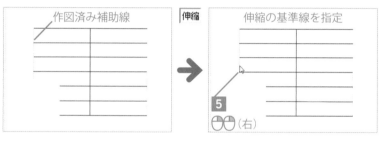

作図済み補助線

伸縮の基準線を指定

🖱🖱（右）

6 伸ばす水平線を🖱。

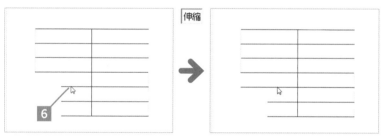

7 同様にして、伸ばす水平線2本を順次🖱。

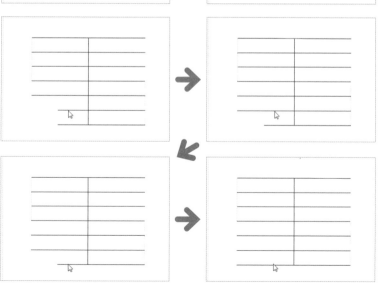

同様にして、上側の3本の水平線左側を中央の垂直線まで縮めます。

8 中央の垂直線を🖱🖱（右）して伸縮基準線を変更する。

9 縮める水平線を、中央の垂直線の右側で🖱。

注意 線を縮める場合は、線を残す側で線を🖱すること。

10 同様にして、縮める水平線2本を順次🖱。

11 下側3本の水平線も縮める先は中央の垂直線なので、伸縮基準線は変更せずに同様の操作を続ける。

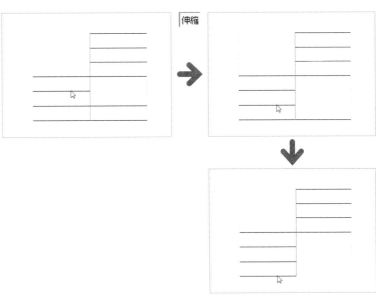

（3）「消去」を使う

ここでは「消去」コマンドの部分消去で水平線の寸法を変更します。

1 「消去」コマンド。コントロールバー「節間消し」のチェックを外す。

2 部分消去する線として、一番上の水平線を🖱。

3 部分消去の始点として、左端点を🖱（右）。

4 部分消去の終点として、交点を☝(右)。

5 以下、同様にして、水平線の伸縮を行う（図は操作を一部割愛）。

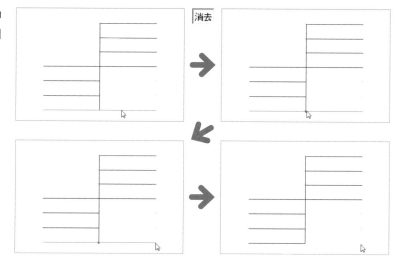

(4) 「消去」節間消しを使う

この例の場合は「消去」コマンドの節間消しで行うのが簡便です。

1 「消去」コマンド。

2 コントロールバー「節間消し」にチェックを付ける。

3 部分消去する線の対象部分（読取点間＝節間）を☝。

4 節間消しモードが続くので、対象線の対象部分を順次☝する（図は操作を一部割愛）。

5 操作が完了したら、コントロールバー「節間消し」のチェックを外す。

（5）「パラメ」を使う

複数の線の端点を一括で変形（移動）させるパラメトリック変形があります。ここではこの機能を利用して水平線の寸法変更を行います。

1 「パラメ」コマンド。

2 図のように、パラメトリック変形（移動）対象の線の端点をすべて含むよう、範囲選択する。

3 コントロールバー「基準点変更」ボタンを🖰し、パラメトリック変形（移動）の基準点として、上の水平線の右端点を🖰（右）。

4 コントロールバーを「X方向」に切り替える。

5 パラメトリック変形（移動）先として、中央の水平線の右端点を🖰（右）。

6 コントロールバー「再選択」ボタンを🖰し、移動（変形）先を確定する。

注意 「再選択」ボタンを押さないとそれまでのパラメトリック変形の作図が続いてしまう。「パラメ」コマンドを選択し直してもよい。

7 同様にして、図のように、他の水平線もパラメトリック変形（移動）で寸法を変更する。

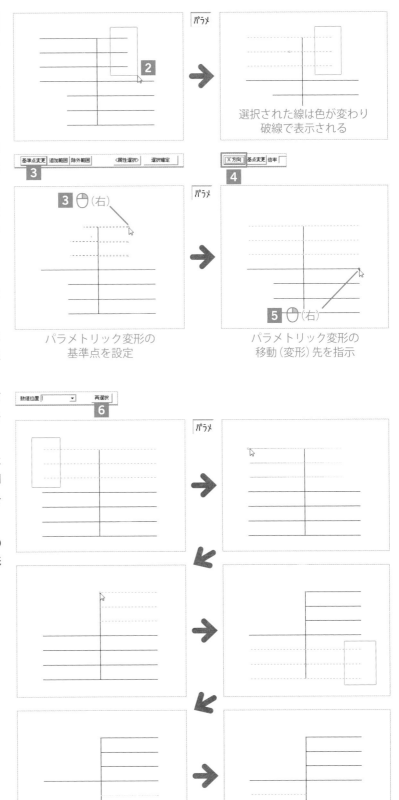

選択された線は色が変わり
破線で表示される

パラメトリック変形の
基準点を設定

パラメトリック変形の
移動（変形）先を指示

基本ドリル05では「矩形（くけい）」の作図を練習します。「矩形」とは4つの頂角が直角である「長方形（正方形も含む）」のことです。

※「矩形」を「四角形」と呼ぶことがありますが、「四角形」では正確ではないので、本書では「矩形」または「長方形」と呼びます。

| 【 基本ドリル 05 】 矩形（長方形・正方形）をかく | | | | | 目標完成時間 | 20分 |

05-01 完成見本	(1) 「ロ」を使う	(2) 「／」「コーナー」を使う	05-02 完成見本	(1) 「ロ」を使う	(2) 「／」「コーナー」を使う
※矩形の大きさは任意			※矩形の大きさは任意		
05-03 完成見本	(1) 「ロ」を使う	(2) 「／」「複線」「コーナー」を使う	05-04 完成見本	(1) 「ロ」を使う	(2) 「／」「複線」「コーナー」を使う
05-05 完成見本	(1) 「ロ」[多重]を使う	(2) 「ロ」を使う	(3) 「ロ」「範囲」「複線」を使う	(4) 「多角形」角数4を使う	(5) 「／」「複線」「コーナー」を使う
05-06 完成見本	(1) 「ロ」「寸法」を使う	(2) 「／」「複線」「伸縮」「コーナー」「消去」を使う	05-07 完成見本	(1) 「ロ」[ソリッド]を使う	(2) 「ソリッド」を使う
			※色：接色4		

● 練習ファイル 「ドリル図面」フォルダ ▶「基本ドリル」フォルダ ▶「基本ドリル05.jww」

基本ドリル **05-01**

「05-01」では、水平な矩形をかきます。
「□」「／」「コーナー」コマンドを使います。

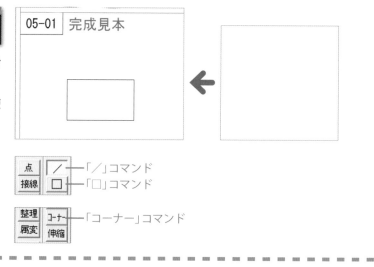

点 接線 ── 「／」コマンド／「□」コマンド

整理 属変 コーナー 伸縮 ── 「コーナー」コマンド

(1) 「□」を使う

まずはもっとも基本的な方法で矩形をかきます。

1 「□」コマンド。

注意 「□」コマンドは「矩形」コマンドという。

2 コントロールバーの各設定項目が、図のようになっていることを確認する（なっていなければ図に合わせる）。

3 矩形の1つの頂点にする位置（始点）として、図のような任意位置を🖱。

4 矩形の対角点にする位置（終点）として、マウス移動して、図のような任意位置を🖱。

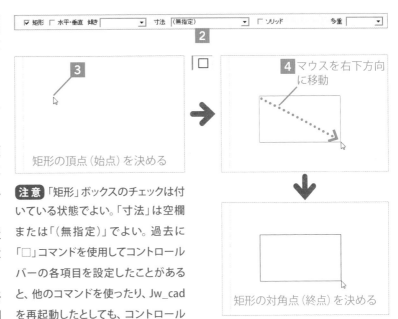

矩形の頂点（始点）を決める

注意 「矩形」ボックスのチェックは付いている状態でよい。「寸法」は空欄または「（無指定）」でよい。過去に「□」コマンドを使用してコントロールバーの各項目を設定したことがあると、他のコマンドを使ったり、Jw_cadを再起動したとしても、コントロールバーの設定が残る場合がある。したがって、これからかく矩形のモードと合わせるため、一度、確認してほしい。

4 マウスを右下方向に移動

矩形の対角点（終点）を決める

注意 マウス移動の方向は任意だが、ここでは感覚的に一番わかりやすい始点から右下方向に矩形をつくっていく例を紹介している。

(2) 「／」「コーナー」を使う

「／」コマンドで4本の水平・垂直線をかき、矩形に整形します。

1 「／」コマンド。

2 コントロールバー「水平・垂直」にチェックを付ける。

3 矩形の上辺左端点として、図のような任意位置を🖱。

4 矩形の上辺右端点として、図のような任意位置を🖱。

以上で矩形の1辺がかけました。これを他の辺にも繰り返します。

5 矩形の左辺上端点として、上辺左端点を🖱（右）。

6 矩形の左辺下端点として、図のような任意位置を🖱。

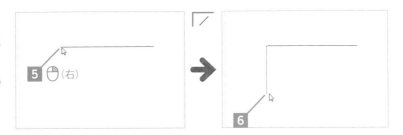

7 矩形の下辺左端点として、左辺下端点を🖱（右）。

8 矩形の下辺右端点として、任意位置を🖱（図のように上辺よりも長くなるように十分に右に延ばす）。

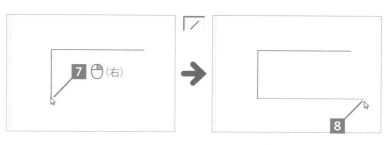

9 矩形の右辺上端点として、上辺右端点を🖱（右）。

10 矩形の右辺下端点として、下辺をまたいだ任意位置で🖱。

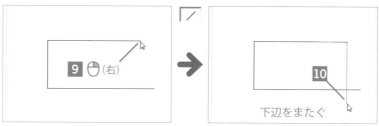

下辺をまたぐ

4辺になる線がかけたので、右下頂点部をコーナー処理して矩形に整えます。

11「コーナー」コマンド。

12 コーナーにする2辺（2本の線）を順次🖱。

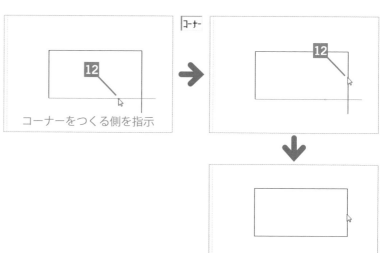

コーナーをつくる側を指示

基本ドリル 05-02

「05-02」では、傾いた矩形をかきます。

ここでは傾きの角度を指定し、矩形の寸法（大きさ・形）は任意とします。

「□」「／」「コーナー」コマンドを使います。

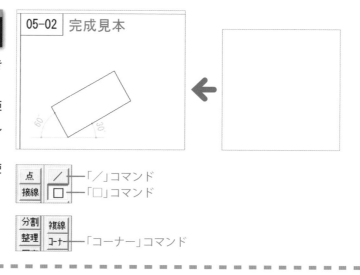

05-02　完成見本

「／」コマンド
「□」コマンド
「コーナー」コマンド

(1) 「□」を使う

コントロールバー「傾き」に角度を
指定してかく矩形です。

1 「□」コマンド。

2 コントロールバー「傾き」に
「30」をキー入力する。

3 矩形の左下頂点として、図のよ
うな任意位置を🖱。

4 矩形の右上頂点として、図のよ
うな任意位置を🖱。

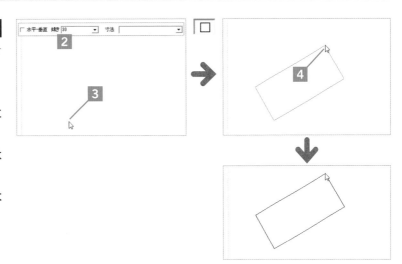

(2) 「／」「コーナー」を使う

傾けた線を組み合わせてつくる矩
形です。

1 「／」コマンド。

2 コントロールバー「水平・垂直」
にチェックを付ける。

3 コントロールバー「傾き」に
「30」をキー入力する。

4 線の始点として、図のような任
意位置を🖱。

5 線の終点として、マウスを右上
方向に移動して、図のような任
意位置を🖱。

6 同様にして、矩形の右辺を適当
な寸法で左上方向にかく。

重要 「傾き」＝「30」、「水平・垂直」
＝チェックなので、かける線は、0°、
30°、60°（90°−30°）、90°…である。

7 同様にして、矩形の上辺をかく
（下辺よりも長くなるように十分
に左に延ばす）。

8 同様にして、矩形の左辺をかく
（右辺よりも長くなるように上辺
をまたぐ）。

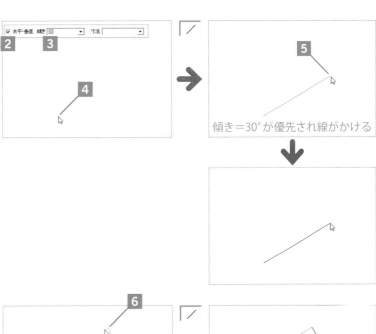

9 「コーナー」コマンド。
10 図のようにコーナー処理する。

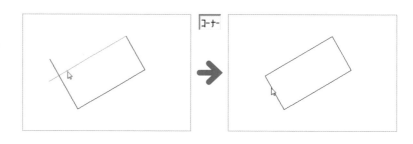

基本ドリル 05-03

「05-03」では、寸法を指定して水平な矩形をかきます。
「□」「／」「複線」「コーナー」コマンドを使います。

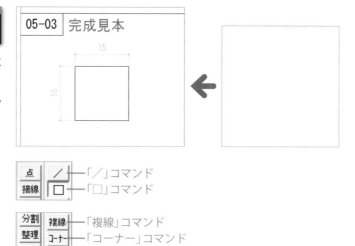

| 点 | ／ | ──「／」コマンド |
| 接線 | □ | ──「□」コマンド |

| 分割 | 複線 | ──「複線」コマンド |
| 整理 | コーナー | ──「コーナー」コマンド |

---

(1) 「□」を使う

コントロールバー「寸法」に横、縦の寸法を指定して矩形をかきます。

1 「□」コマンド。

2 コントロールバー「寸法」に「15,15」をキー入力する。

3 マウスに追随する赤い仮の矩形（この場合は正方形）が表示されるので、マウスポインタを手掛かりにして矩形の中心にする位置を🖲。

4 矩形確定の🖲。

重要 同じ矩形の作図モードが続くので、解除するには「／」コマンドを🖲。

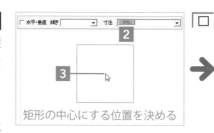

矩形の中心にする位置を決める

確定するためもう1回🖲

重要 「□」コマンドで寸法指定して矩形をかく場合、3 で仮置き、4 で確定になる。ここでは紹介しないが、3 と 4 の間でマウス移動により矩形の配置基準点を9個所から選べるようになっているため、このような操作が必要になる（ここでは配置基準点を初期設定の中心のまま確定した）。

(2) 「／」「複線」「コーナー」を使う

線の組み合わせでつくった図形を複線、コーナー処理で整形して矩形にします。

1 「／」コマンド。

2 コントロールバー「水平・垂直」にチェックを付ける。

3 図のように、右方向に十分に長い水平線をかく。

4 かいた水平線の左端を始点とする十分に長い垂直線を、図のようにかく。

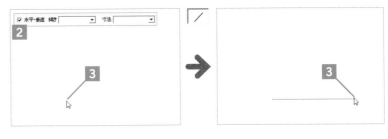

5 「複線」コマンド。

6 複線する線として、垂直線を🖱。

7 コントロールバー「複線間隔」に「15」をキー入力する。

8 マウスを複線する右方向に移動して、確定の🖱。

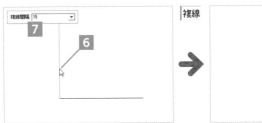
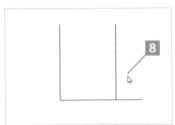

9 同様にして、水平線を上方向に15で複線する。

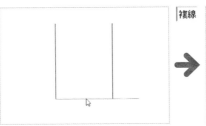
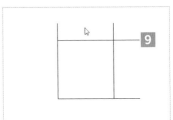

10 「コーナー」コマンド。

11 4本の線を順次コーナー処理して、矩形（正方形）に整形する（図は操作を一部割愛）。

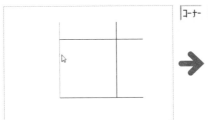
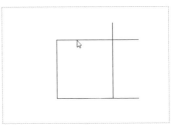

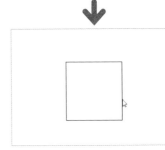

基本ドリル 05-04

「05-04」では、傾いた矩形をかきます。

ここでは傾きの角度および矩形の寸法（大きさ・形）ともに指定します。

「□」「／」「複線」「コーナー」コマンドを使います。

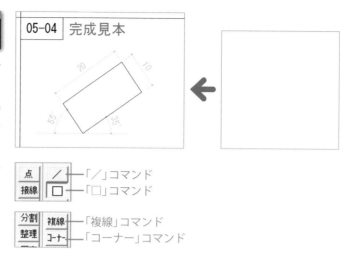

「／」コマンド
「□」コマンド
「複線」コマンド
「コーナー」コマンド

（1）「□」を使う

傾きと寸法を指定して矩形をかきます。

1 「□」コマンド。

2 コントロールバー「傾き」に「35」をキー入力する。

3 コントロールバー「寸法」に「20, 10」（横、縦）をキー入力する。

4 矩形の中心にする位置を🖱 ➡ p.84。

5 矩形確定の🖱。

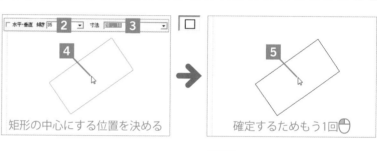

矩形の中心にする位置を決める

確定するためもう1回🖱

重要 同じ矩形の作図モードが続くので、解除するには「／」コマンドを🖱。

（2）「／」「複線」「コーナー」を使う

傾きを指定した線を組み合わせて図形をつくり、複線、コーナー処理で整形して矩形にします。

矩形（線）を35°傾けること以外、操作要領はp.85の（2）項と同じです。

1 「／」コマンド。

2 コントロールバー「水平・垂直」にチェックを付ける。

3 コントロールバー「傾き」に「35」をキー入力する。

4 「／」コマンドで、矩形の下辺と左辺になる線をかく。

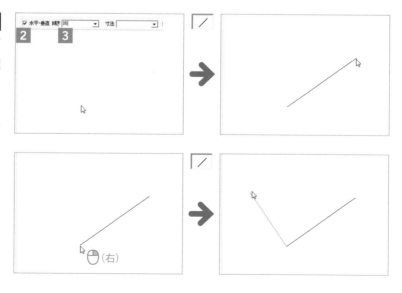

5 「複線」コマンドで、矩形の上辺（「複線間隔」10）と右辺（「複線間隔」20）になる線を複線してかく。

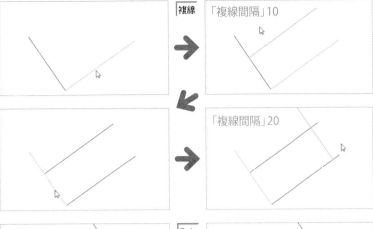

6 「コーナー」コマンドで、矩形に整形する。

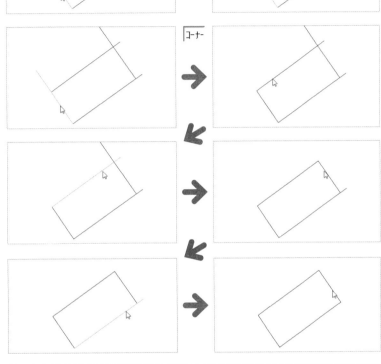

基本ドリル 05-05

「05-05」では、寸法を指定して二重正方形をかきます。
「□」「複線」「多角形」「／」コマンドを使います。
なお、作図しやすくするため、(2)と(4)には読取点にする点を1つ作図してあります。

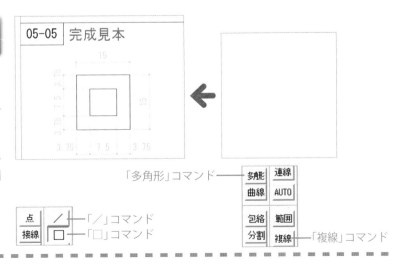

(1) 「□」多重を使う

「□」コマンドの多重機能を利用して寸法指定の二重矩形をかきます。

1 「□」コマンド。

2 コントロールバー「寸法」に「15,15」をキー入力する。

3 コントロールバー「多重」に「2,0」をキー入力する。

4 矩形の中心にする位置を🖱 ➡ p.84 。

5 矩形確定の🖱。

矩形の中心にする位置を決める　　　　確定するためもう1回🖱

重要 コントロールバー「多重」は矩形の内側に等間隔で小さい矩形をかく機能で、「2,0」の場合は2重になる（矩形寸法が15なので、内側の小さい矩形が7.5になる）。なお、後の「0」は頂点の丸めレベルの指定だが、この機能の解説は割愛する。

(2) 「□」を使う

寸法を指定した矩形の作図を繰り返し、二重にします。

1 「□」コマンド。

2 コントロールバー「寸法」に「7.5,7.5」をキー入力する。

3 矩形の中心にする位置として、作図済みの点を🖱（右）。

4 矩形確定の🖱。

5 コントロールバー「寸法」に「15,15」をキー入力する。

6 矩形の中心にする位置として、作図済みの点を🖱（右）。

7 矩形確定の🖱。

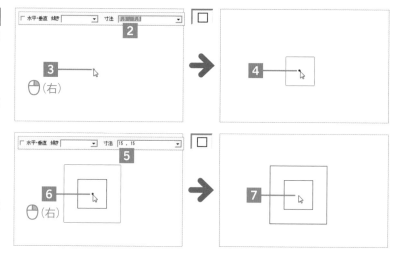

(3) 「□」「範囲」「複線」を使う

矩形を1つかき、それを「範囲」コマンドで矩形まるごと同心複写して二重にします。

1 「□」コマンド。

2 コントロールバー「寸法」に「7.5,7.5」をキー入力する。

3 矩形の中心にする位置として、任意点を🖱。

4 矩形確定の🖱。

5 「範囲」コマンド。

6 作図した矩形を範囲選択で指定する。

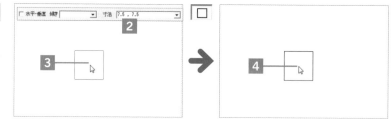

7 「複線」コマンド。

8 コントロールバー「複線間隔」に「3.75」をキー入力する。

9 マウス移動すると赤い仮の複線矩形が外側（3.75周囲に離れた位置）に表示されるので、複線矩形確定の🖱。

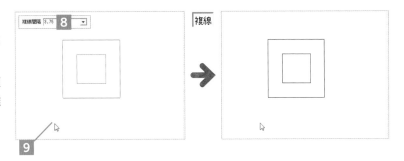

(4) 「多角形」角数4を使う

「多角形」コマンドで寸法指定の二重矩形をかきます。

1 「多角形」コマンド。

2 コントロールバー「辺寸法指定」を🖱して◉の状態にする。

3 コントロールバー「寸法」に「15」をキー入力する。

4 コントロールバー「角数」に「4」をキー入力する。

5 矩形の中心にする位置として、作図済みの点を🖱（右）。

6 続いて、コントロールバー「寸法」に「7.5」をキー入力する。

7 矩形の中心にする位置として、作図済みの点を🖱（右）。

多角形は1回の指示で確定する

注意 「多角形」コマンドは正多角形をかくので、1辺の寸法の指定になる。

注意 「4」で正四角形＝正方形の指定になる。

(5) 「／」「複線」「コーナー」を使う

水平線と垂直線を1本ずつかき、それらをそれぞれ多数複線してからコーナー処理で二重矩形をつくります。

1 「／」コマンド。

2 コントロールバー「水平・垂直」にチェックを付ける。

3 図のように、任意の水平線をかく。

4 図のように、かいた水平線の左端から、適当な寸法の垂直線を下方向をかく。

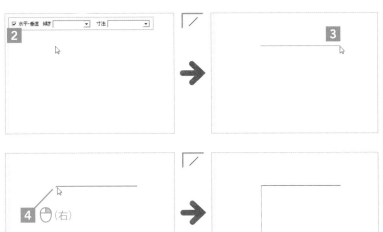

5 「複線」コマンド。

6 複線する線として、水平線を🖱。

7 コントロールバー「複線間隔」に「3.75」をキー入力する。

8 マウスを下方向に移動して🖱し、下側に複線を確定する。

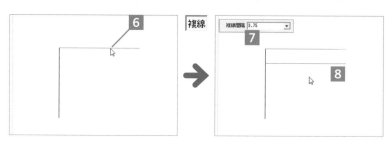

9 同様にして、二重矩形に必要な線（辺）を複線していく。

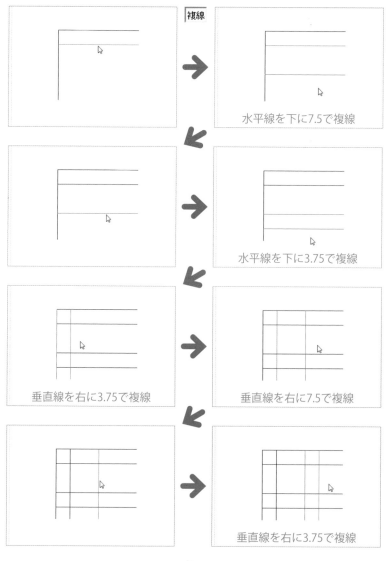

水平線を下に7.5で複線

水平線を下に3.75で複線

垂直線を右に3.75で複線

垂直線を右に7.5で複線

垂直線を右に3.75で複線

10 「コーナー」コマンドで、二重矩形に整形していく（図は操作を一部割愛）。

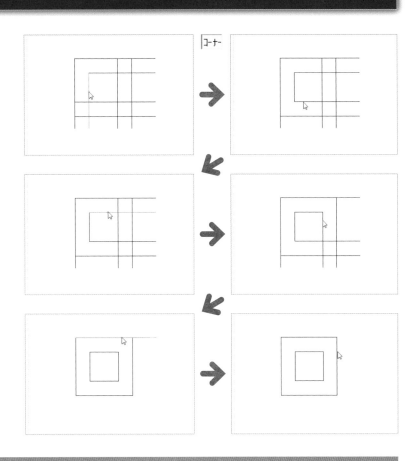

基本ドリル 05-06

「05-06」では、完成見本のような
矩形の集合体をかきます。
「□」「／」「複線」「コーナー」「伸縮」
「消去」コマンドを使います。

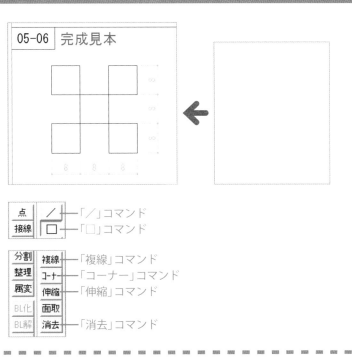

(1) 「□」寸法を使う

矩形を1つかき、その頂点をガイドにして同じ矩形をかき連ねます。

1 「□」コマンド。

2 コントロールバー「寸法」に「8,8」をキー入力する。

3 図のように、任意位置に矩形をかく ➡ p.84。

4 同じ矩形をかくモードが続くので、赤い仮の矩形がマウスに追随表示される状態で、かいた矩形の左上頂点で🖱（右）。

5 赤い仮の矩形の右下頂点と**3**で指示した左上頂点を合わせ、確定の🖱。

6 同様にして、あと3つの矩形をかく。

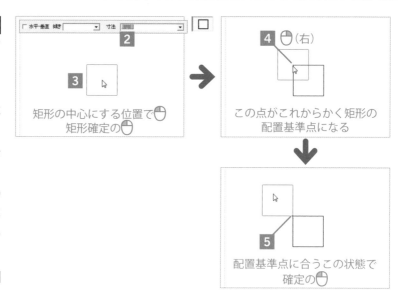

矩形の中心にする位置で🖱 矩形確定の🖱

この点がこれからかく矩形の配置基準点になる

配置基準点に合うこの状態で確定の🖱

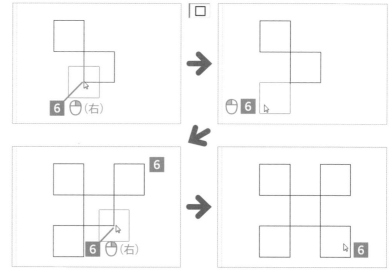

(2) 「／」「複線」「伸縮」「消去」を使う

4本ずつの水平・垂直線で碁盤目のような図形をつくり、不要な線を消去することで完成見本の図に仕上げます。

1 「／」コマンドで、コントロールバー「水平・垂直」にチェックを付ける。

2 図のように、任意寸法の水平線をかく。

3 図のように、水平線左端から下へ任意寸法の垂直線をかく。

4 「複線」コマンドで、垂直線を指示し、コントロールバー「複線間隔」に「8」を入力して右方向に複線する。

5 コントロールバー「連続」ボタンを2回🖱して、もう2本複線をかく。

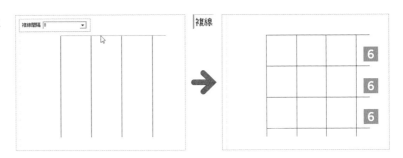

6 同様にして、水平線も下方向に3本複線する。

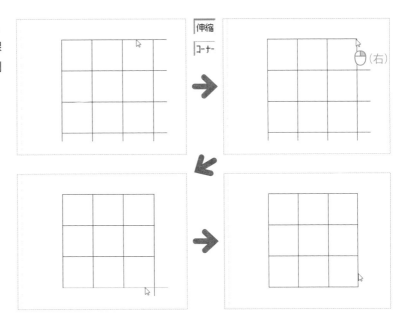

7 「伸縮」「コーナー」コマンドで、図のように、はみ出している線を整える（図は操作を一部割愛）。

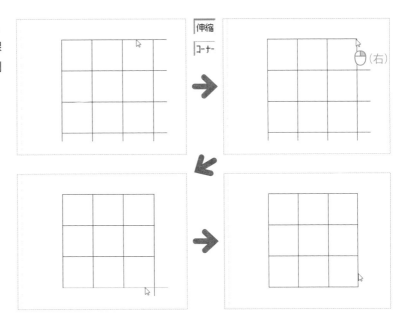

8 「消去」コマンドで、図のように、不要な線を部分消去する ⇒p.78（図は操作を一部割愛）。

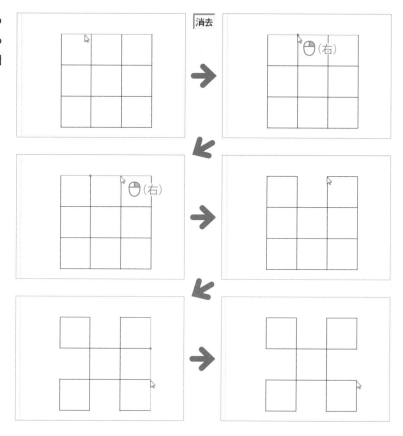

基本ドリル 05-07

「05-07」では、閉じた図形の内部を着色（塗りつぶし）します。ソリッド機能を使います。

ここで指定する色は「線色4」で設定されている濃い黄緑色を例とします。みなさんは何色でもよいのですが、解説に合わせるためには以下の操作で「線色4」に切り替えてください。

1 画面右端にあるツールバーから「線属性」コマンドを🖰。

2 「線属性」ダイアログが開くので、図の「線色4」ボタンを🖰して、チェックを付ける。

3 「Ok」を🖰してダイアログを閉じる。

重要 「線属性」ダイアログで設定した線色と線種は、ツールバーの線属性バーで確認できる。見づらいが実線・黄緑色になっている。

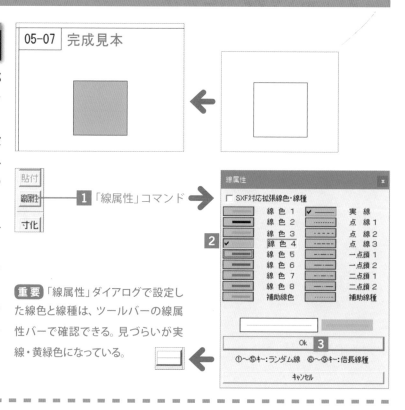

(1) 「□」ソリッドを使う

作図済みの矩形の内部を、「□」コマンドのソリッド機能で着色します。

1 「□」コマンド。

2 コントロールバー「ソリッド」にチェックを付け、変更されたコントロールバー「任意色」のチェックを外す。

3 ソリッド着色範囲の始点として、図の頂点を🖱（右）。

4 ソリッド着色範囲の終点として、図の頂点を🖱（右）。

重要 コントロールバー「ソリッド」から右の項目が切り替わり、「任意色」のチェックを外すとソリッド色ボタンに前ページで指定した「線色4」が設定される。

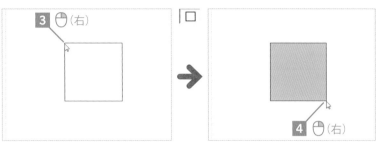

(2) 「ソリッド」を使う

作図済みの矩形の内部を、「ソリッド」コマンドで着色します。

「ソリッド」コマンドはJw_cadの初期設定ではツールバーに登録されていません。そこで本書ではツールバーのユーザー登録機能を使って「ソリッド」コマンドのボタンが画面のコントロールバー右端に表示されるように設定してあります **⇒p.10**。ここではそのボタンを利用します。

1 ツールバー「ソリッド」コマンドを🖱。

2 コントロールバーが「ソリッド」コマンド用に切り替わるので、「円・連続線指示」ボタンを🖱。

3 「円・連続線指示」ボタンの表示に点線枠が追加されることを確認する。

注意 これは円・連続線指示が有効になったことを示す印である。

4 作図済みの矩形を🖱。

注意 ここで、右クリックすると外周線が消えてしまうので注意。

注意 「ソリッド」ボタンはツールバーのボタンなので、どのコマンドを選択していてもコントロールバーの右に表示されている。

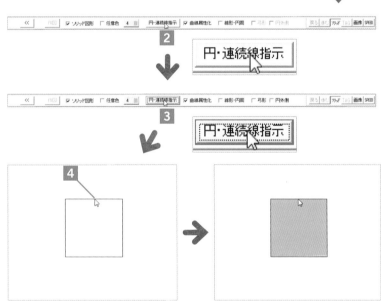

06 形を変える

基本ドリル06では作図済みの図形の形を変えます。基本ドリル04で少し練習した「パラメ」コマンドを駆使します。

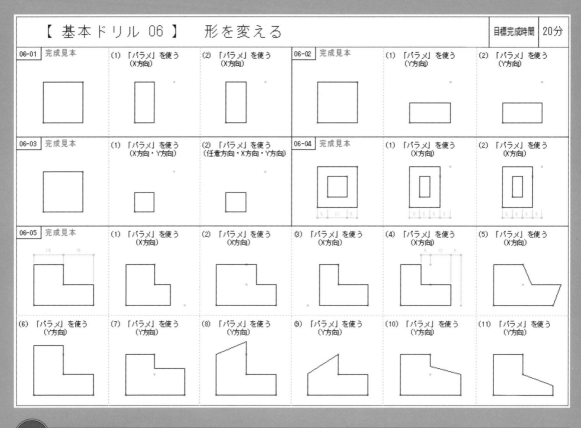

練習ファイル 「ドリル図面」フォルダ ▶ 「基本ドリル」フォルダ ▶ 「基本ドリル06.jww」

基本ドリル 06-01

「06-01」では、作図済みの矩形の1辺をパラメトリック変形で水平方向に移動して矩形を変形します。「パラメ」コマンドを使います。

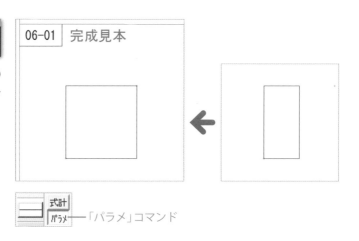

「パラメ」コマンド

(1) 「パラメ」X方向を使う

作図済みの矩形の1辺を水平（X軸）方向のパラメトリック変形で移動して、矩形を変形します。作図しやすいように、読取点用の点を1つ作図済みです。

1 「パラメ」コマンド。

2 移動変形する矩形の右辺を包含するよう範囲選択するため、パラメトリック変形の範囲の始点として図示付近を🖰。

3 移動変形の範囲の終点として図示付近を🖰。

4 移動変形の基準点は初期設定では小さい赤丸の位置になっていて都合が悪いので、コントロールバー「基準点変更」ボタンを🖰。

5 矩形の右上頂点を🖰（右）して基準点を変更する。

6 移動変形の方向を水平方向に限定するため、コントロールバーの図のボタンを何度か🖰して「X方向」の表示に切り替える。

注意 「X方向」ボタンの表示に点線枠が追加される。

7 移動変形先として、作図済みの点を🖰（右）。

8 移動変形を確定させるため、「／」コマンドを🖰。

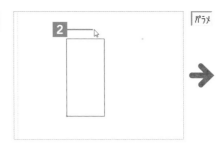

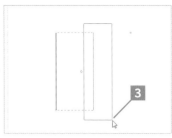

移動する線がピンク色の実線、変形する線（この場合は上下の辺）がピンク色の点線に変わる

初期設定のパラメトリック変形基準点

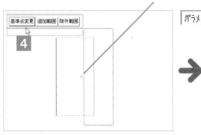

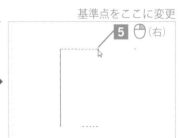

基準点をここに変更

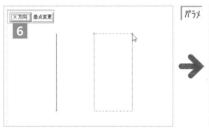

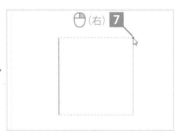

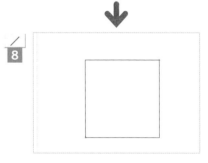

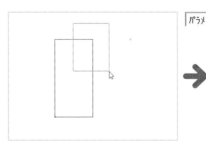

(2) 「パラメ」X方向を使う

前項（1）と同じ矩形のパラメトリック変形ですが、少し方法を変えます。

1 「パラメ」コマンド。

2 移動変形対象を右上頂点にするため、移動変形の範囲を図のように指定する。

移動変形対象

パラメトリック変形の移動変形対象を矩形の右上頂点に限定する範囲選択方法。ピンク色の実線がなくなる（頂点だけなので見えない）

3 コントロールバー「基準点変更」ボタンを🖱し、基準点を図のように変更する。

4 移動変形の方向を水平方向に限定するため、コントロールバーの図のボタンを何度か🖱して「X方向」の表示に切り替える。

5 移動変形先として、作図済みの点を🖱(右)。

6 確定の「／」コマンド。

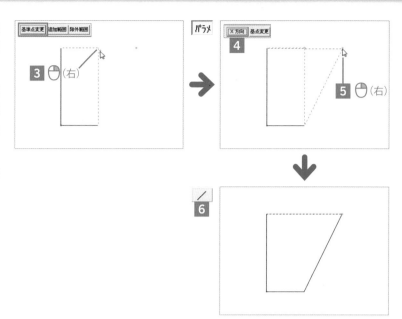

続けて、矩形右下頂点を右上頂点と同じ水平位置(X軸右方向)までパラメトリック変形します。

7 「パラメ」コマンド。

8 移動変形の範囲を図のように指定する。

9 基準点を変更する。

10 コントロールバーの図のボタンの「X方向」を確認する。

11 移動変形先として、ここでは水平位置が同じである作図済みの点を利用できるので🖱(右)。

12 確定の「／」コマンド。

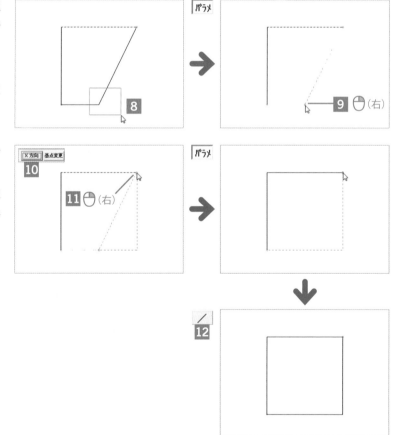

基本ドリル 06-02

「06-02」では、前項「06-01」同様、作図済みの矩形の1辺をパラメトリック変形で移動して矩形を変形しますが、今度は垂直方向に移動変形します。
操作要領は同じなので、解説は簡略化します。

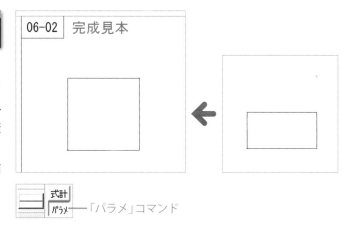

「パラメ」コマンド

---

(1) 「パラメ」Y方向を使う

作図済みの矩形の1辺を垂直（Y軸）方向のパラメトリック変形で移動して、矩形を変形します。
作図しやすいように、読取点用の点を1つ作図済みです。

1 「パラメ」コマンド。

2 移動変形の範囲を図のように指定する。

3 基準点を変更する。

4 コントロールバーの図のボタンを「Y方向」に切り替える。

5 移動変形先として、作図済みの点を🖰（右）。

6 ここでは次のパラメトリック変形を続けるので、コントロールバー「再選択」を🖰。

重要 前項では、パラメトリック変形を終えたら「／」コマンドを選択することで変形確定→コマンド終了していたが、パラメトリック変形を続ける場合はコントロールバー「再選択」を🖰する。ここでは次項（2）でパラメトリック変形を続けるので、これを利用する。

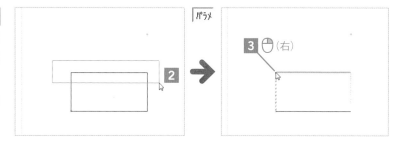

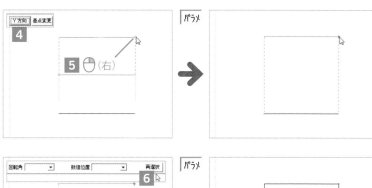

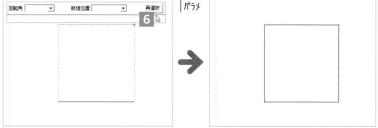

今のパラメトリック変形が確定し、続けて次のパラメトリック変形の範囲選択待ち状態になる

(2) 「パラメ」Y方向を使う

前項(1)に続けて、同じ矩形のパラメトリック変形を、少し方法を変えて行います。

1. 「パラメ」コマンド。

2. 移動変形対象を右上頂点にするため、移動変形の範囲を図のように指定する。

3. 基準点を変更する。

4. コントロールバーの図のボタンを「Y方向」に切り替える。

5. 移動変形先として、作図済みの点を🖱(右)。

6. 次のパラメトリック変形を続けるので、コントロールバー「再選択」を🖱。

続けて、反対側の頂点も移動変形します。

7. 移動変形の範囲を図のように指定する。

8. 基準点を変更する。

9. コントロールバーの図のボタンの「Y方向」を確認する。

10. 移動変形先として、ここでは垂直位置(Y軸上方向)が同じである作図済みの点を利用できるので、🖱(右)。

11. 確定の「／」コマンド。

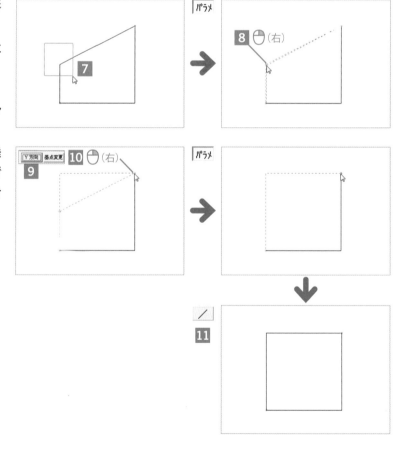

基本ドリル 06-03

「06-03」も前項「06-02」までと同様の矩形のパラメトリック変形ですが、2辺をそれぞれ水平・垂直方向に移動変形します。

操作要領は同じなので、解説は簡略化します。

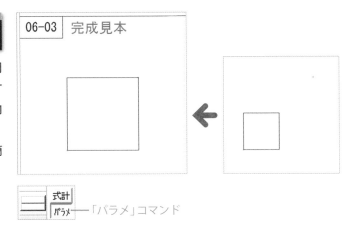

(1) 「パラメ」X・Y方向を使う

作図済みの矩形の2辺をそれぞれ水平または垂直方向に移動変形します。

作図しやすいように、読取点用の点を作図済みです。

1 「パラメ」コマンド。

2 移動変形の範囲を図のように指定する。

3 基準点を変更する。

4 コントロールバーの図のボタンを「X方向」に切り替える。

5 移動変形先として、作図済みの点を🖰(右)。

6 次のパラメトリック変形を続けるので、コントロールバー「再選択」を🖰。

7 移動変形の範囲を図のように指定する。

8 基準点を変更する。

9 コントロールバーの図のボタンを「Y方向」に切り替える。

10 移動変形先として、作図済みの点を🖰(右)。

11 確定の「／」コマンド。

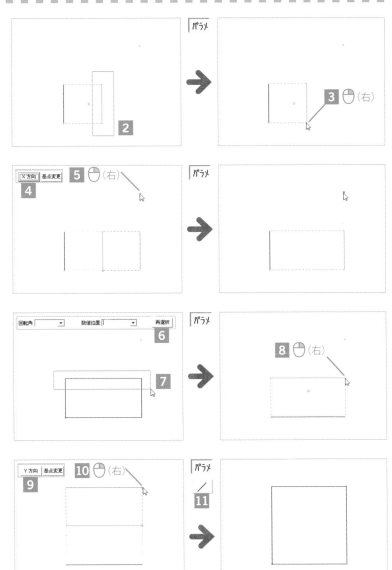

(2) 「パラメ」任意・X・Y方向を使う

前項 (1) に続けて、同じ矩形のパラメトリック変形を「任意方向」「X方向」「Y方向」で行います。少し手数の多い複雑なパラメトリック変形の練習になります。

1 「パラメ」コマンド。

2 移動変形を範囲指定する。

3 基準点を変更する。

4 コントロールバーの図のボタンを「任意方向」に切り替える。

5 移動変形先として、作図済みの点を🖰(右)。

6 次のパラメトリック変形を続けるので、コントロールバー「再選択」を🖰。

7 移動変形を範囲指定する。

8 基準点を変更する。

9 コントロールバーの図のボタンを「X方向」に切り替える。

10 移動変形先として、作図済みの点を🖰(右)。

11 次のパラメトリック変形を続けるので、コントロールバー「再選択」を🖰。

12 移動変形を範囲指定する。

13 基準点を変更する。

14 コントロールバーの図のボタンを「Y方向」に切り替える。

15 移動変形先として、作図済みの点を🖰(右)。

16 確定の「／」コマンド。

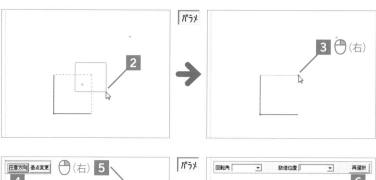

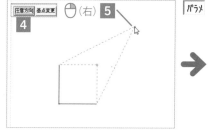

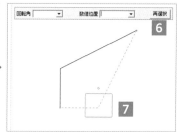

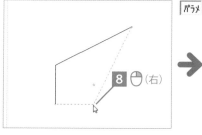

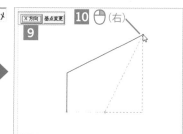

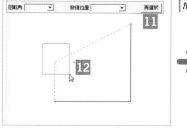

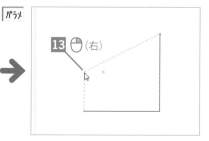

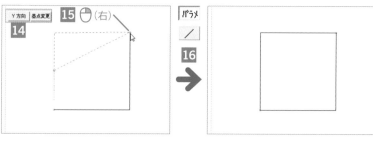

基本ドリル 06-04

「06-04」は、作図済みの2重矩形の右側の辺を移動してパラメトリック変形します。

操作要領はこれまでと同じなので、解説は簡略化します。

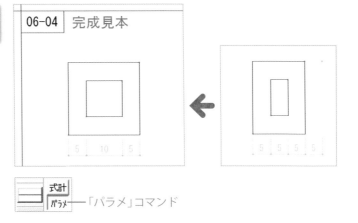

---

(1) 「パラメ」X方向を使う

外側と内側の矩形を同時に水平方向にパラメトリック変形します。作図しやすいように、読取点用の点を作図済みです。

1 「パラメ」コマンド。

2 移動変形の範囲を指定する。

3 基準点を変更する。

4 コントロールバーの図のボタンを「X方向」に切り替える。

5 移動変形先として、作図済みの点を🖰（右）。

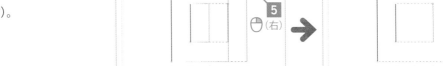

6 確定の「／」コマンド。

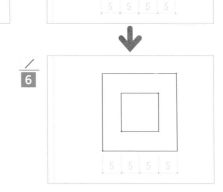

(2) 「パラメ」X方向を使う

前項と同じパラメトリック変形ですが、ここでは外側と内側の矩形を別々に移動変形します。

1 「パラメ」コマンド。

2 移動変形の範囲を指定する。

3 基準点を変更する。

4 コントロールバーの図のボタンを「X方向」に切り替える。

5 移動変形先として、作図済みの点を🖱(右)。

6 コントロールバー「再選択」を🖱。

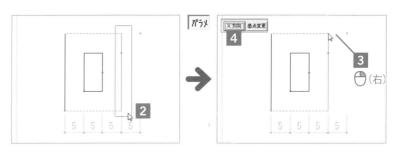

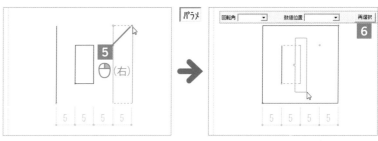

7 同様にして、内側の右辺も作図済みの点まで移動変形する。

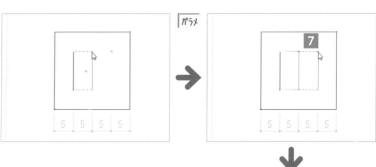

8 確定の「／」コマンド。

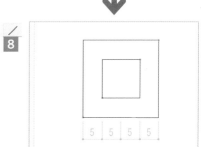

基本ドリル 06-05

「06-05」は、作図済みの図形の各辺をもとに、完成見本のようなL字型図形にパラメトリック変形で整形します。

移動変形する辺や変形先がいろいろですが、操作要領はこれまでと同じなので、解説は図のみとします。パラメトリック変形の図形から始め、変化を追い作図してください。作図しやすいように、読取点用の点を作図済みです。

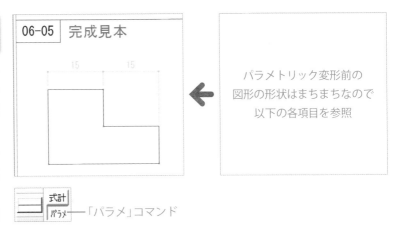

パラメトリック変形前の図形の形状はまちまちなので以下の各項目を参照

「パラメ」コマンド

---

(1) 「パラメ」X方向を使う

下側右辺を右に移動変形します。

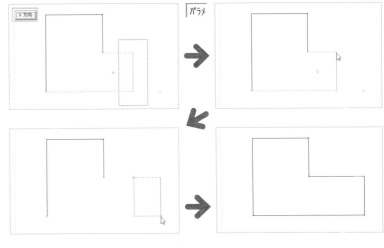

(2) 「パラメ」X方向を使う

上側右辺を左に移動変形します。

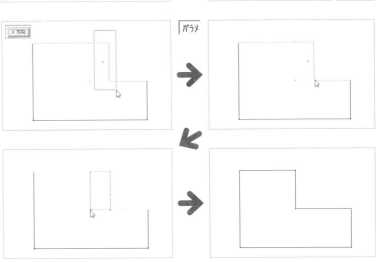

(3) 「パラメ」X方向を使う

左辺を左に移動変形します。

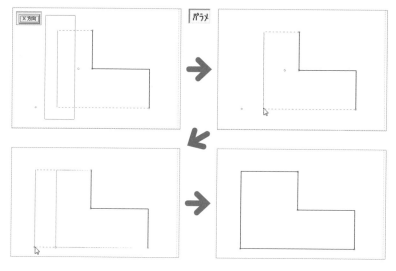

(4) 「パラメ」X方向を使う

上側と下側の右辺を同時に右に5移動変形します。

重要 このように範囲指定すると、水平線は移動するだけで変形はしない。範囲指定したパラメトリック変形の対象線（ピンク色の実線）はあくまで移動のみで、ピンク色の点線部分が伸び縮みする。

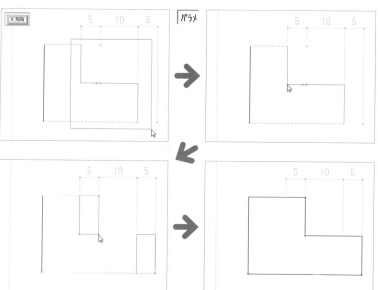

(5) 「パラメ」X方向を使う

図のような図形を移動変形して完成見本に整形します。

この場合は一度ではできないので、2個所の頂点をそれぞれパラメトリック変形します。

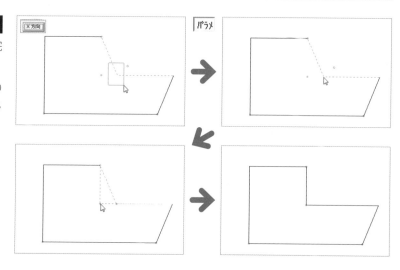

ここで、パラメトリック変形の範囲
を再選択します。

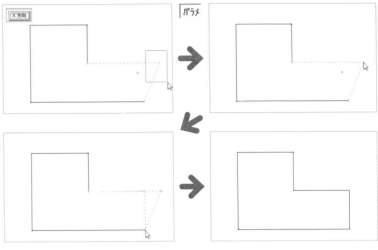

(6) 「パラメ」Y方向を使う

左側上辺を下に移動変形します。

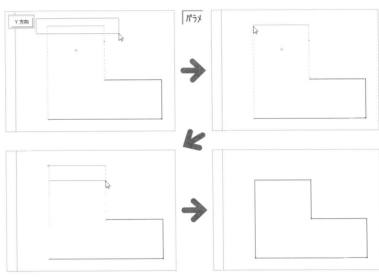

(7) 「パラメ」Y方向を使う

右側上辺を下に移動変形します。

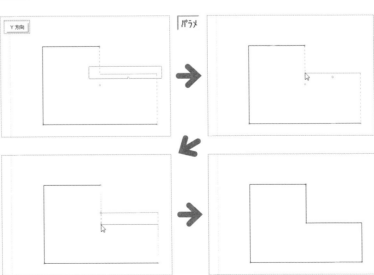

(8) 「パラメ」Y方向を使う

中央上頂点を下に移動変形します。

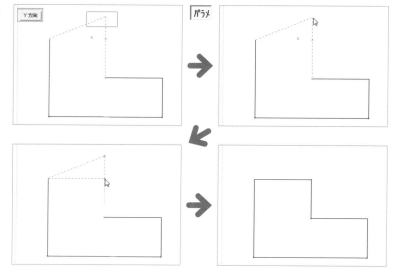

(9) 「パラメ」Y方向を使う

左上頂点を上に移動変形します。

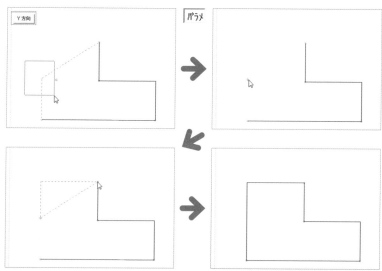

(10) 「パラメ」Y方向を使う

中央下頂点を下に移動変形します。

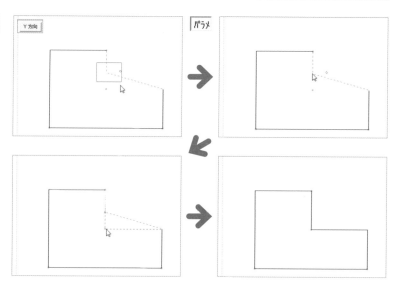

(11) 「パラメ」Y方向を使う

右上頂点を上に移動変形します。

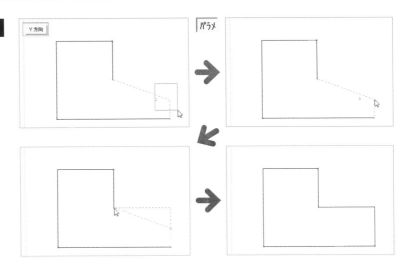

基本ドリル07では円や円弧をかきます。線と違い始点・終点がない円や、かく手数の多い円弧の作図を練習します。

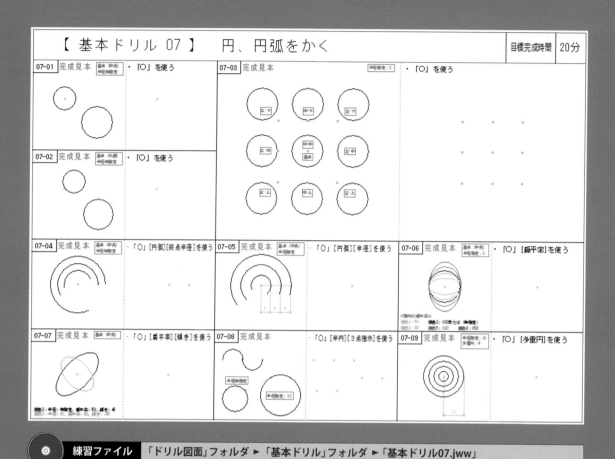

基本ドリル07-01

「07-01」では、マウス指示だけで円（円周）をかきます。

「○」コマンドを使います。

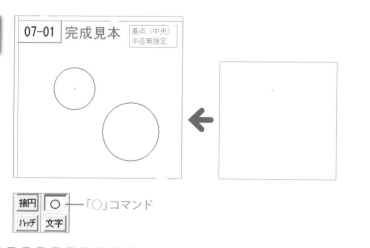

「○」基点を使う

中心点（中央）と半径（大きさ）を
マウス指示して円をかきます。
作図しやすいように、読取点用の
点を作図済みです。

1 「○」コマンド。

注意 「○」コマンドは「円弧」コマンドという。

2 コントロールバー「基点」ボタンの表示が「基点」であることを確認する。

3 円の中心として、作図済みの点を🖱（右）。

4 マウス移動すると赤い仮の円（円周）が表示されるので、任意の大きさにしたら円周点として確定の🖱。

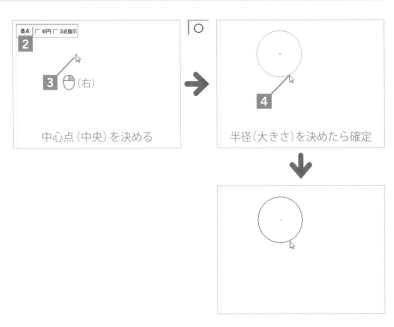

中心点（中央）を決める　　半径（大きさ）を決めたら確定

5 同様にして、もう1つ少し大きい円をかく。

注意 2つ目の円の場合は円の中心の読取点がないので、中心の確定は🖱で指示すればよい。

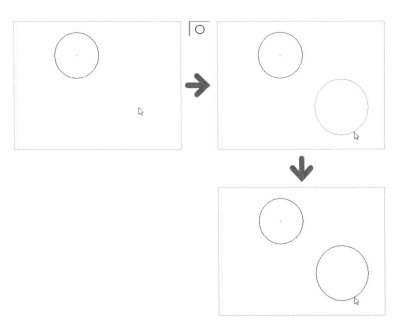

基本ドリル **07-02**

「07-02」も前項「07-01」と同じマウス指示による円の作図ですが、最初の指示点が円周点になるところが異なります。

「○」コマンドを使います。

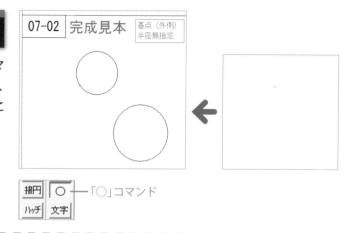

「○」コマンド

「○」外側を使う

円周点（外側）と半径（大きさ）をマウス指示して円をかきます。

作図しやすいように、読取点用の点を作図済みです。

1 「○」コマンド。

2 コントロールバー「基点」ボタンを🖰して、表示を「外側」に切り替える。

3 円周点として、作図済みの点を🖰（右）。

4 マウス移動すると赤い仮の円（円周）が表示されるので、任意の大きさにしたらもう1つの円周点として確定の🖰。

5 同様にして、もう少し大きい円をかく。

注意 2つ目の円の場合は右下付近に読取点がないので、ここでは最初の円周点も確定の円周点も🖰で指示すればよい。

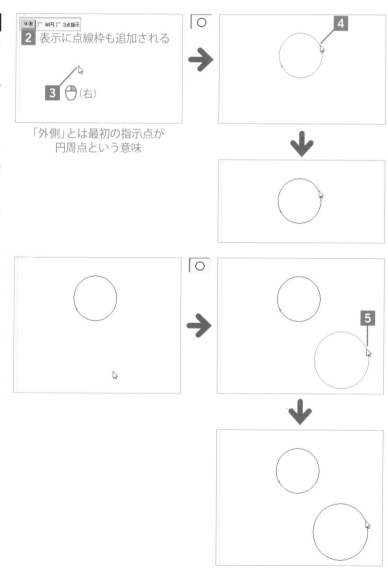

「外側」とは最初の指示点が円周点という意味

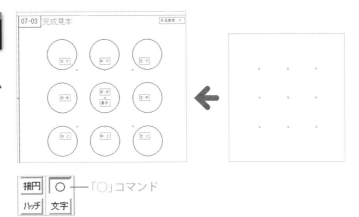

基本ドリル 07-03

「07-03」では、半径を数値指定し、円の配置基準点を選択して円をかきます。

「○」コマンドを使います。

「○」半径、基点を使う

半径を数値指定して円をかきます。この場合は、続いて円の配置基準点を選択することになります。作図しやすいように、円の配置基準点に合わせた読取点用の9つの点を作図済みです。

1 「○」コマンド。

2 コントロールバー「半径」に「8」をキー入力する。

3 赤い仮の円（半径＝8）が表示され、コントロールバー「基点」ボタン表示が「中・中」に切り替わることを確認する。

重要 現在の円配置基準点になる。

4 配置基準点「中・中」の場合はマウスポインタが円の中心点にあるので、円の中心点として作図済みの点を🖱（右）。

注意 図では「中・中」に合わせて中央の点を選んで🖱（右）しているが、単なる作図練習なので、実際はどこを指示してもかまわない。

5 完成見本を参考に、コントロールバーの「中・中」ボタンを🖱して配置基準点を切り替えながら、残り8つの円をかく。

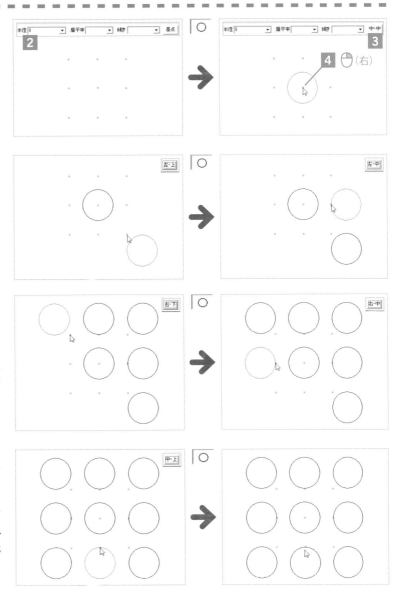

基本ドリル **07-04**

「07-04」では、マウス指示だけで
円弧をかきます。
「○」コマンドを使います。

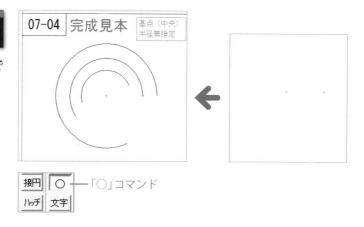

「○」コマンド

「○」円弧、終点半径を使う

円弧モードに切り替えて、同じ中
心点から任意半径の円弧を3つか
きます。

作図しやすいように、読取点用の
点を作図済みです。

1 「○」コマンド。

2 コントロールバー「円弧」にチェ
ックを付ける。

重要 これで円弧作図モードになる。

3 円弧の中心点として、図の作図
済みの点を🖱（右）。

4 円弧の半径と始点にする位置と
して、図示付近の任意位置を🖱。

重要 4 の指示で円弧の半径と始点
が同時に決まる。

5 マウス移動に追随する赤い仮
の円弧を参考に、円弧の終点
として、図示付近の任意位置を
🖱して、円弧を確定する。

同様にして、今かいた円弧の外側
に同じ中心点の円弧をかきます。

6 円弧の中心点として、図の作図
済みの点を🖱（右）。

7 半径と始点を決める🖱(右)。

8 円弧の終点を決め、確定の🖱。

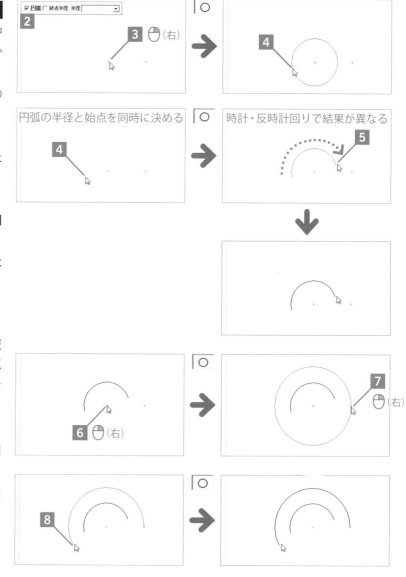

9 コントロールバー「終点半径」にチェックを付けて円弧の中心点を🖱（右）し、半径の始点となる位置を🖱（右）。

重要 「終点半径」にチェックを付けることで、次の**10**でかく一番外側の円弧が、円弧の中心と**9**で🖱（右）した位置の延長上を始点として仮表示される。

10 円弧が仮表示されるので終点として図示付近の任意位置を🖱。

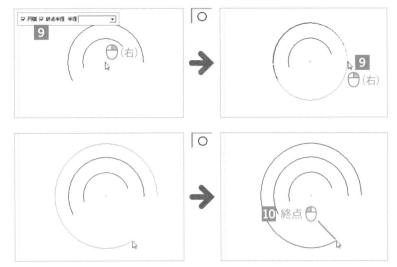

基本ドリル07-05

「07-05」では、半径を数値指定して円弧をかきます。
「○」コマンドを使います。

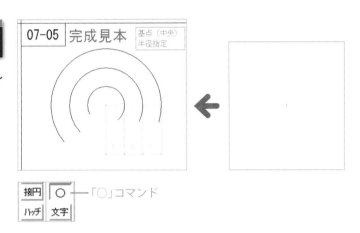

- -

「○」円弧、半径を使う

円弧モードで、同じ中心点から半径を指定して円弧をかきます。
作図しやすいように、円弧の中心点にする点を作図済みです。

1 「○」コマンド。

2 コントロールバー「円弧」にチェックを付ける。

3 コントロールバー「半径」に「5」をキー入力する。

4 円弧の中心点として、図の作図済みの点を🖱（右）。

5 円弧の半径は決まっているので、任意の始点・終点を順次🖱。

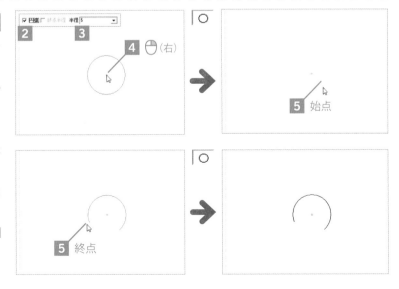

6 同様にして、同じ中心点から半径10で任意の始点・終点の円弧をかく。

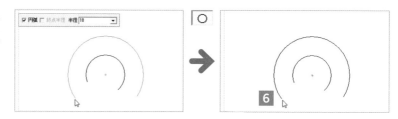

7 同様にして、同じ中心点から半径15で任意の始点・終点の円弧をかく。

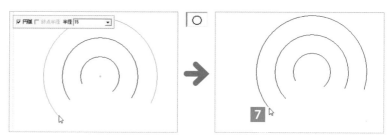

基本ドリル 07-06

「07-06」では、半径は数値指定し、扁平率と色を変えながら楕円をたくさんかきます。
「○」コマンドを使います。

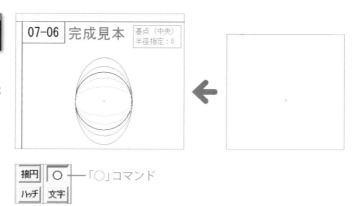

07-06 完成見本　基点（中央）半径指定：8

接円 ○ ──「○」コマンド
ハッチ 文字

「○」扁平率を使う

同じ中心点から、扁平率と色をかえながら半径8の楕円をかきます。
作図しやすいように、楕円の中心点にする点を作図済みです。

1 「線属性」コマンド → p.94 。
2 「線属性」ダイアログで「線色1」を🖱し「Ok」を🖱する。
3 「○」コマンド。
4 コントロールバー「円弧」のチェックを外す。
5 コントロールバー「半径」に「8」をキー入力する。
6 コントロールバー「扁平率」に「50」をキー入力する。

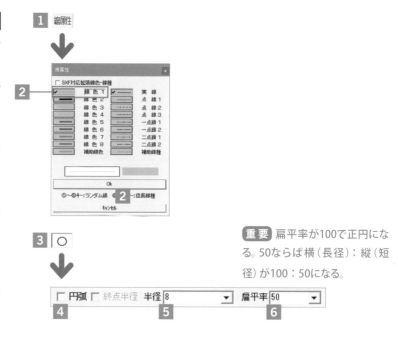

重要 扁平率が100で正円になる。50ならば横（長径）：縦（短径）が100：50になる。

7 楕円の中心点として、作図済みの点を🖱（右）。

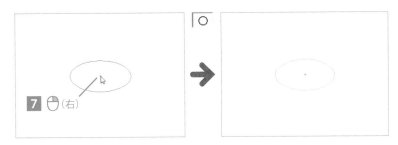

8 同様にして、「線色2」、扁平率「100」で正円をかく。

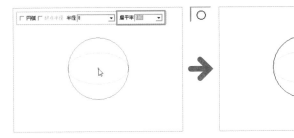

9 同様にして、「線色3」、扁平率「80」で楕円をかく。

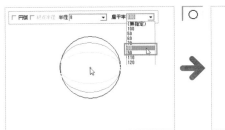

重要 「扁平率」ボックスでは数値を履歴リストから選択できる ➡ p.57 。

10 同様にして、「線色5」、扁平率「120」で楕円をかく。

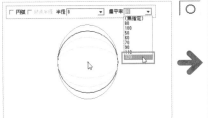

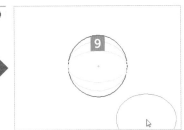

11 同様にして、「線色6」、扁平率「150」で楕円をかく。

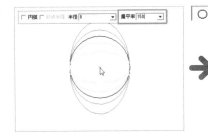

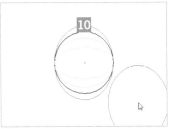

基本ドリル 07-07

「07-07」では、傾いた（角度指定の）楕円をマウス指示でかきます。「○」コマンドを使います。

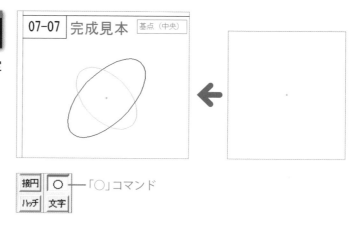

「○」コマンド

「○」扁平率、傾きを使う

同じ中心点から扁平率と傾きを指定して、任意半径の楕円をかきます。

作図しやすいように、楕円の中心点にする点を作図済みです。

1 「線属性」コマンド。

2 「線属性」ダイアログで「線色2」を選択する。

3 「○」コマンド。

4 コントロールバー「円弧」のチェックを外す。

5 コントロールバー「半径」を「（無指定）」または空欄にする。

6 コントロールバー「扁平率」に「50」をキー入力する。

7 コントロールバー「傾き」に「45」をキー入力する。

8 楕円の中心点として、図の作図済みの点を🖱（右）。

9 ここでは半径を指定していないので、マウス移動で任意の大きさの楕円をつくり、確定の🖱。

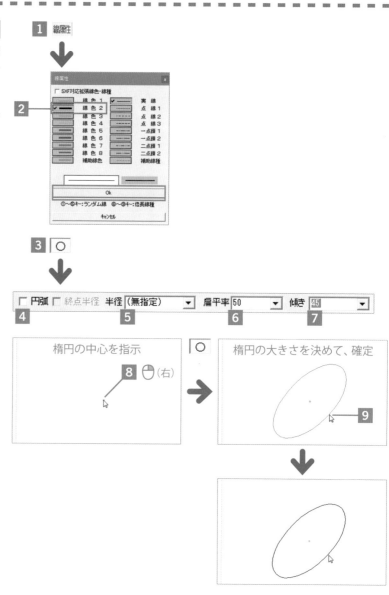

10 同様にして、「線色3」、扁平率「60」、傾き「−45」で楕円をかく。

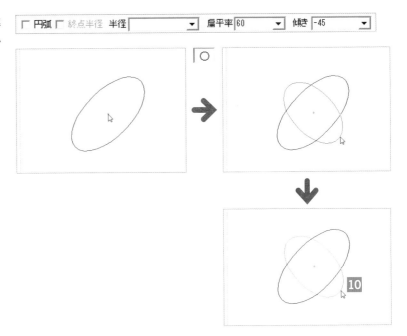

□ 円弧 □ 終点半径 半径 [▼] 扁平率 [60][▼] 傾き [−45][▼]

「07-08」では、作図済みの点を通る半円や円をかきます。
「○」コマンドを使います。

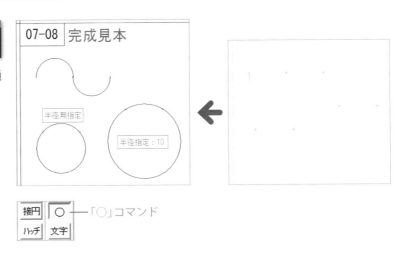

07-08 完成見本

半径無指定

半径指定：10

| 接円 | ○ |──「○」コマンド
| ハッチ | 文字 |

「○」半円、3点指示を使う

作図済みの2点を通る半円をかきます。半円の向きを変える練習もします。半径は指定しません。
作図しやすいように、読取点を作図済みです。

1 「線属性」コマンド。

2 「線属性」ダイアログで「線色2」を選択する。

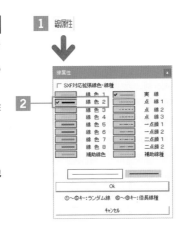

1 線属性

線属性

□ SXF対応拡張線色・線種

2 線色1 / 線色2 / 線色3 / 線色4 / 線色5 / 線色6 / 線色7 / 線色8 / 補助線色

実 線 / 点 線1 / 点 線2 / 点 線3 / 一点鎖1 / 一点鎖2 / 二点鎖1 / 二点鎖2 / 補助線種

Ok

①〜⑥キー：ランダム線　⑥〜⑨キー：倍長線種

キャンセル

3 「○」コマンド。

4 コントロールバー「扁平率」を「(無指定)」または空欄にする。

5 コントロールバー「半円」にチェックを付ける。

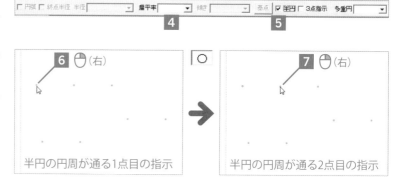

6 円(円周)の1点目として、図の作図済みの点を🖱(右)。

7 円(円周)の2点目として、図の作図済みの点を🖱(右)。

半円の円周が通る1点目の指示　　半円の円周が通る2点目の指示

8 赤い仮の半円が表示されるので、マウス移動で半円の向き(2通りある)を決め、確定の🖱。

重要 ここでの方法は、2点を通る半円のかき方になる。

9 同様にして、右に向きが反対の半円をかく。

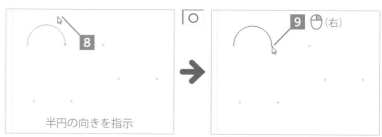

半円の向きを指示

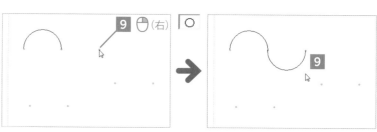

続けて、3点を通る円をかきます。2点は作図済み、最後の点は任意点とする例で練習します。

10 コントロールバー「3点指示」にチェックを付ける。

11 コントロールバー「円弧」のチェックが外れていることを確認する。

重要 「3点指示」にチェックを付けると「半円」のチェックが自動的に外れる。

円周が通る1点目の指示　　　　円周が通る2点目の指示

12 円(円周)の1点目として、図の作図済みの点を🖱(右)。

13 円(円周)の2点目として、図の作図済みの点を🖱(右)。

14 赤い仮の円が表示されるので、マウス移動で半径(大きさ)と向き(2通りある)を決め、確定の🖱。

円の半径(大きさ)と向きを指示

引き続き3点を通る円モードでの作図ですが、半径を指定することで3点目の指示は円の向きの指示となる例で練習します。

15 コントロールバー「半径」に「10」をキー入力する。

16 円（円周）の1点目として、図の作図済みの点を🖰（右）。

17 円（円周）の2点目として、図の作図済みの点を🖰（右）。

18 赤い仮の円が表示されるので、マウス移動で向き（2通りある）を決めて確定させる🖰。

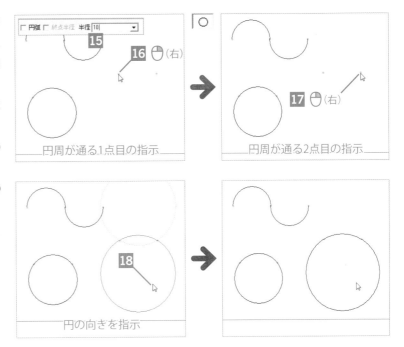

基本ドリル 07-09

「07-09」では、多重円をかきます。「○」コマンドを使います。

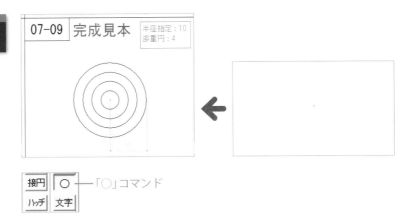

「○」多重円を使う

半径を指定して4重円をかきます。作図しやすいように、円の中心点にする点を作図済みです。

1 「○」コマンド。

2 コントロールバー「半径」に「10」をキー入力する。

3 コントロールバー「多重円」に「4」をキー入力する。

4 円の中心点として、図の作図済みの点を🖰（右）。

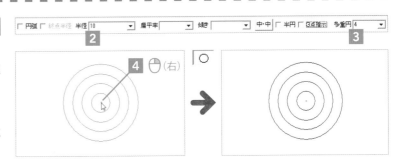

多角形・面取・手書線をかく

基本ドリル08では多角形と手書線をかきます。また、矩形の頂点などのコーナー（角）を落とす面取も行います。

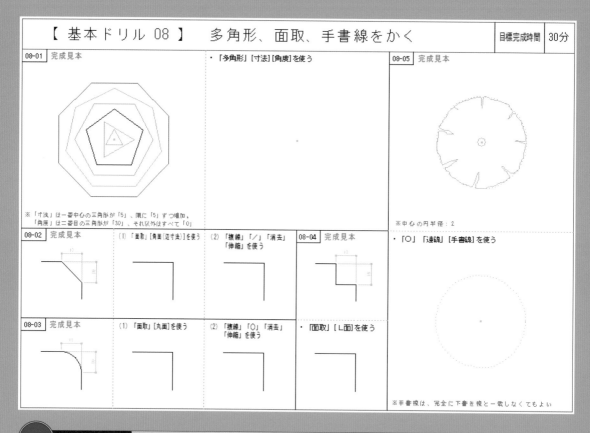

練習ファイル　「ドリル図面」フォルダ ▶「基本ドリル」フォルダ ▶「基本ドリル08.jww」

基本ドリル08-01

「08-01」では、同じ中心からたくさんの多角形（正多角形）をかきます。

「多角形」コマンドを使います。

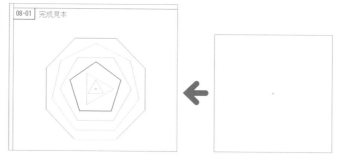

「多角形」コマンド

「多角形」寸法、角数を使う

作図済みの点を中心とする正三角形、正五角形、正六角形、正七角形、正八角形を、寸法と色を変えながら順次かきます。

1 「線属性」コマンド。

2 「線属性」ダイアログで「線色1」を選択する。

3 「多角形」コマンド。

4 コントロールバー「中心→頂点指定」を🖰して⦿の状態にする（初期設定なので通常は確認）。

5 コントロールバー「寸法」に「5」をキー入力する。

重要 正多角形の辺の長さになる。

6 コントロールバー「角数」に「3」をキー入力する。

重要 「3」で正三角形モードになる。

7 正三角形の中心として、作図済みの点を🖰（右）。

次は30°傾けた正三角形です。

8 コントロールバー「寸法」を「10」、「底辺角度」の履歴リスト ➡ p.57 を表示し、「30」を🖰して選択する（キー入力も可）。

9 正三角形の中心として、作図済みの点を🖰（右）。

次は正五角形です。

10 「線属性」を「線色2」に切り替える。

11 コントロールバー「寸法」に「15」をキー入力する。

12 コントロールバー「角数」に「5」をキー入力する。

13 コントロールバー「底辺角度」に「0」をキー入力する（選択も可）。

14 正五角形の中心として、作図済みの点を🖰（右）。

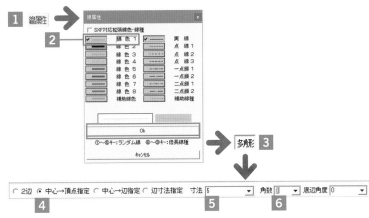

重要 これを「ラジオボタン」と呼び、複数用意された項目からただ1つ選択するようになっている。

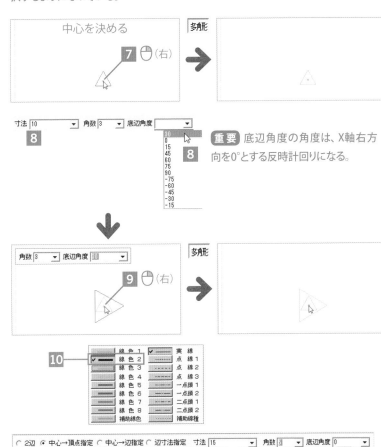

重要 底辺角度の角度は、X軸右方向を0°とする反時計回りになる。

同様にして、他の正多角形を順次かきます（解説は図のみ）。

15 同様にして、「線色3」、寸法「20」、角数「6」で正六角形をかく。

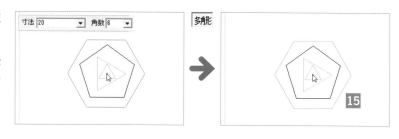

16 同様にして、「線色4」、寸法「25」、角数「7」で正七角形をかく。

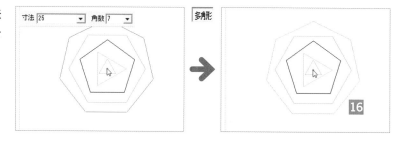

17 同様にして、「線色5」、寸法「30」、角数「8」で正八角形をかく。

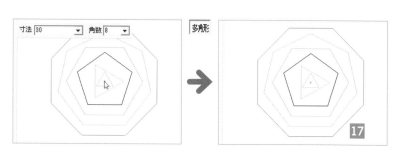

基本ドリル 08-02

「08-02」では、矩形の頂点などのコーナー（角）を落とします。このことを「面取（めんとり）」や「丸め」と呼びます。

「面取」「複線」「／」「消去」「伸縮」コマンドを使います（「面取」コマンド以外のボタン ➡ p.91）。

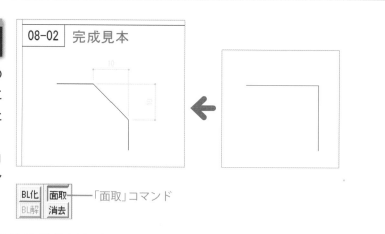

(1) 「面取」角面(辺寸法)を使う

コーナーを三角形に落とします。

1 「線属性」コマンド。

2 「線属性」ダイアログで「線色2」を選択する。

3 「面取」コマンド。

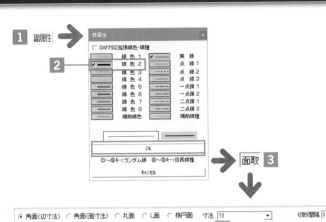

4 コントロールバー「角面(辺寸法)」を🖱して⦿の状態にする（初期設定なので通常は確認）。

5 コントロールバー「寸法」に「10」をキー入力する。

重要 コーナーの頂点から辺を落とす長さになる。

6 面取の対象線として、1本目を🖱。

7 面取の対象線として、2本目を🖱。

面取対象線の1本目の指示 　　　面取対象線の2本目の指示

(2) 「複線」「/」「消去」「伸縮」を使う

コーナーを構成している水平・垂直線をそれぞれ複線して面取寸法のガイドポイント(読取点)をつくり、そこを斜線で結ぶことで角面取と同じ結果に整形します。

1 「複線」コマンド。

2 コントロールバー「複線間隔」に「10」をキー入力する。

3 水平線を🖱(右)して下に複線する。

4 同様にして、垂直線を左に複線する。

5 「/」コマンド。

6 図の交点どうしを結ぶ斜線をかく。

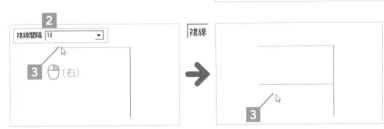

不要になった複線を消去します。

7 「消去」コマンド。

8 複線した線を順次🖰（右）して消去する ➡ p.65 。

水平・垂直線を交点まで縮めることで、面取を完成させます。

9 「伸縮」コマンド。

10 水平線を、線を残す側の任意位置で🖰。

11 伸縮位置として、交点を🖰（右）。

12 垂直線を、線を残す側の任意位置で🖰。

13 伸縮位置として、交点を🖰（右）。

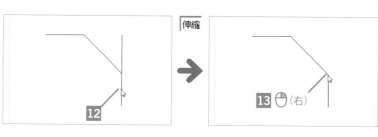

基本ドリル 08-03

「08-03」も面取ですが、落とし方の形を1/4円弧状にします。

「面取」「複線」「○」「消去」「伸縮」コマンドを使います（「面取」コマンド以外のボタン ➡ p.91、110 ）。

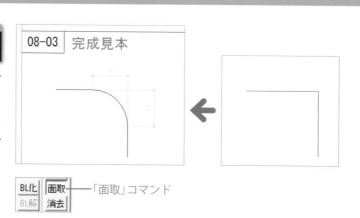

（1）「面取」丸面を使う

コーナーを1/4円で落とします。

1 「面取」コマンド。

2 コントロールバー「丸面」を🖰して◉の状態にする。

3 コントロールバー「寸法」に「10」をキー入力する。

4 面取の対象線として、1本目を🖰。

5 面取の対象線として、2本目を🖰。

(2) 「複線」「○」「消去」「伸縮」を使う

コーナーを構成している水平・垂直線をそれぞれ複線してから円をかくことで、丸面取と同じ結果に整形します。

1 「08-02」の(2) 項 ➡ p.125 と同様にして、「複線」コマンドで水平・垂直線を複線間隔10でそれぞれ複線する。

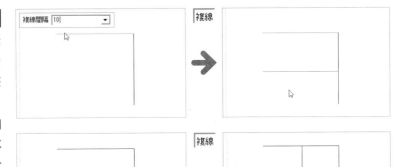

2 「○」コマンド。

3 コントロールバー「円弧」にチェックを付ける。

4 円弧の中心点として、図の交点を🖱(右)。

5 円弧の始点として、図の交点を🖱(右)。

6 円弧の終点として、図の交点を🖱(右)。

7 「消去」コマンド。

8 複線した線を順次🖱(右) して消去する ➡ p.65 。

9 「08-02」の(2) 項と同様にして、「伸縮」コマンドで図のように面取と同じ結果になるよう整形する。

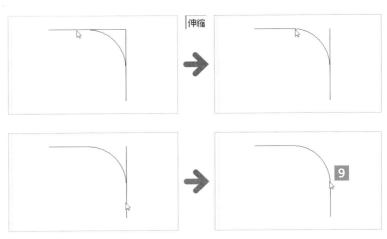

基本ドリル **08-04**

「08-04」も面取ですが、落とし方の形をL字型にします。
「面取」コマンドを使います。

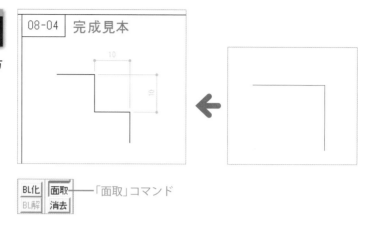

08-04 完成見本

BL化 面取 ──「面取」コマンド
BL解 消去

「面取」L面を使う

コーナーを矩形で落とします。

1 「面取」コマンド。

2 コントロールバー「L面」を🖱して◉の状態にする。

3 コントロールバー「寸法」に「10,10」をキー入力する。

注意 L面取ではコーナーを矩形で落とす形なので、矩形の横×縦に該当する寸法の指定が必要になる。この場合は2値が同じなので正方形で落とすことになる。

4 面取の対象線として、1本目を🖱。

5 面取の対象線として、2本目を🖱。

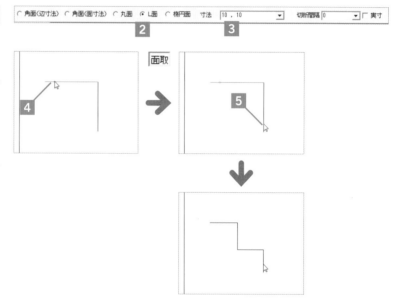

基本ドリル **08-05**

「08-05」では、手がき風の線をかきます。
「円弧」(「〇」)、「連線」コマンドを使います。

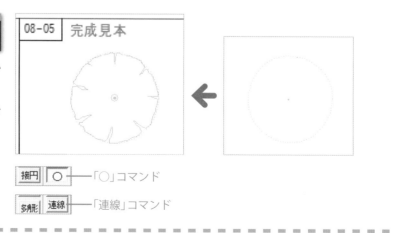

08-05 完成見本

接円 〇 ──「〇」コマンド

多角形 連線 ──「連線」コマンド

「○」「連線」手書線を使う

配置図に表現する植栽を例として、手書線を使います。

作図しやすいように、円の中心点にする点および植栽の外側輪郭のガイド（補助線）を作図済みです。

1 「線属性」コマンド。

2 「線属性」ダイアログで「線色1」を選択する。

3 「○」コマンド。

4 コントロールバー「半径」に「2」をキー入力する。

5 円の中心点として、作図済みの点を🖱（右）。

6 「連線」コマンド。

7 コントロールバー「手書線」にチェックを付ける。

8 手書線の始点として、図示付近を🖱。

9 マウス移動で植栽のイメージを自由にトレースしていく。

重要 途中でやめるには🖱し、そのあと再開するにはやめた点を🖱（右）する。前に戻りたいときは「Ctrl」キーを押したまま「Z」キーを押すショートカットキーの利用が便利である。

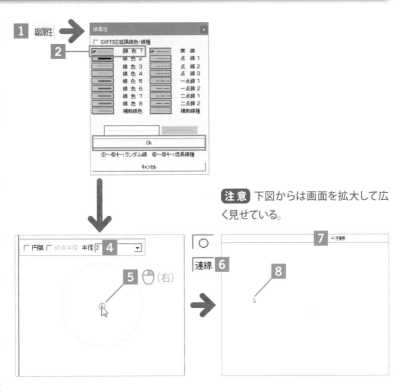

注意 下図からは画面を拡大して広く見せている。

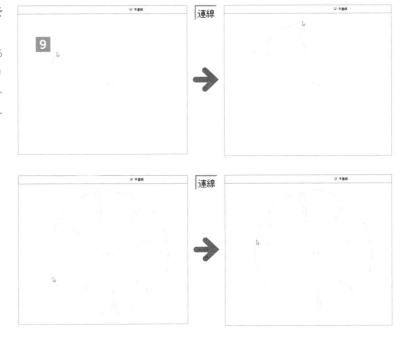

ハッチングとソリッドをかく

基本ドリル09ではハッチングとソリッドをかきます。ソリッドは矩形の作図 ➡ p.94 で一度練習していますが、ここでは本格的な機能を使います。

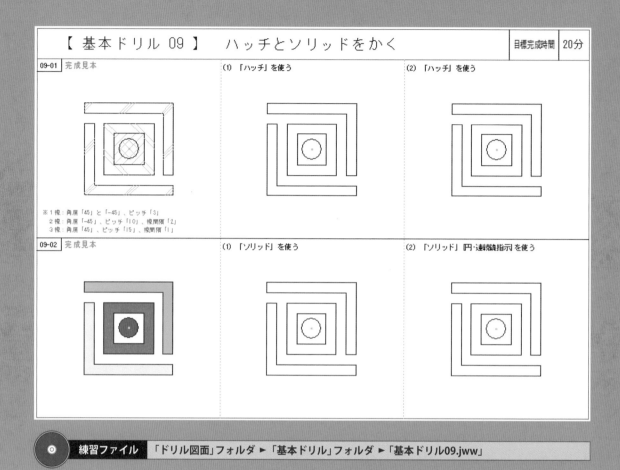

【 基本ドリル 09 】　ハッチとソリッドをかく　目標完成時間 20分

09-01 完成見本　　　(1) 「ハッチ」を使う　　　(2) 「ハッチ」を使う

※1線：角度「45」と「-45」、ピッチ「3」
　2線：角度「-45」、ピッチ「10」、線間隔「2」
　3線：角度「45」、ピッチ「15」、線間隔「1」

09-02 完成見本　　　(1) 「ソリッド」を使う　　　(2) 「ソリッド」円・連続線指示 を使う

練習ファイル 「ドリル図面」フォルダ ▶ 「基本ドリル」フォルダ ▶ 「基本ドリル09.jww」

基本ドリル 09-01

「09-01」では、作図済みの図形内にハッチングをかきます。「ハッチング」とは図形内を種々の平行線のパターンで埋め尽くすことで、「ハッチ」と略称します。

「ハッチング（ハッチ）」コマンドを使います。

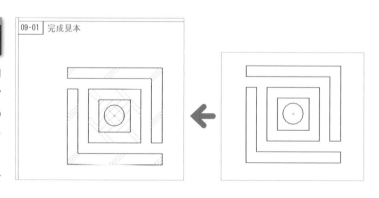

「ハッチ」コマンド —— ハッチ｜文字
　　　　　　　　　　　建平｜寸法

(1) 「ハッチ」左クリックを使う

内側の正方形にハッチをかきます。

1 「線属性」コマンド。

2 「線属性」ダイアログで「線色1」を選択する。

3 「ハッチ」コマンド。

4 コントロールバー「1線」を🖰して⊙の状態にする（初期設定なので通常は確認）。

5 コントロールバー「角度」に「45」をキー入力する。

（重要）ハッチ線の傾きになる。

6 コントロールバー「ピッチ」に「3」をキー入力する。

（重要）ピッチの数値が大きいほど、ハッチ平行線の間隔が広くなる。

ハッチの対象範囲は閉図形（外周線を1周すると元に戻る）です。閉図形の指示方法は独特なので慣れましょう。以下、その操作方法です。

7 ハッチ範囲として、閉図形を構成する外周線のうち、任意の線を🖰。

（重要）最初に指示した線にはピンク色の波線が付く。

8 **7** に隣接している次の線を🖰。

（重要）次からの線はピンク色に変わるだけ。

（注意）外周線の回り方はどちらでもよい。

9 同様にして、次の線を🖰。

10 同様にして、次の線を🖰。

11 1周したら、**7** の最初の指示線を再度🖰。

（重要）波線が消え、ピンク色に変わる。

12 コントロールバー「基点変」を🖰。

13 ハッチ線の開始位置を🖰（右）。

14 コントロールバー「実行」を🖰。

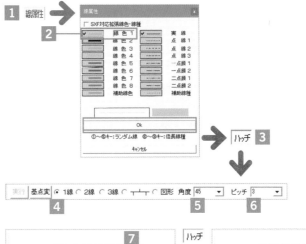

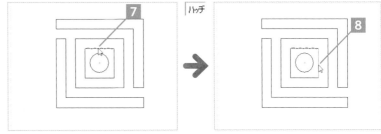

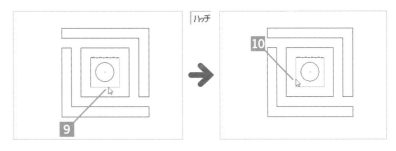

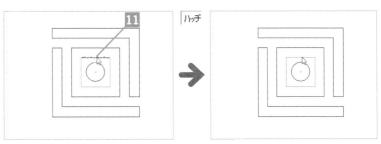

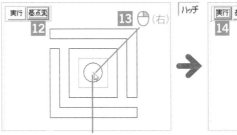

基点（ハッチ線開始位置）を作図済みの中心に設定する

続けて、円にハッチをかきます。ハッチの角度（向き）を正方形の場合と反対にします。

15 コントロールバー「クリアー」ボタンを🖱。

16 コントロールバー「角度」に「−45」をキー入力する。

17 閉図形を構成する外周線は円なので、それを🖱（右）。

18 コントロールバー「実行」を🖱。

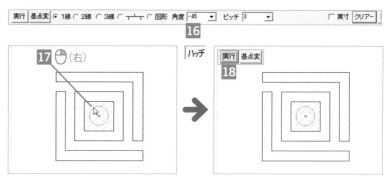

注意 ハッチをかき終えたあと「クリアー」しないと、ハッチ範囲（ピンク色の図形）が解除されず、続けて他のハッチを行うと、ハッチを終えた図形にも重ね書きされるので注意。

重要 円のように連続している外周線の場合は、🖱（右）1回指示で範囲選択が完了する。この場合、最初の線に付く波線はない。矩形の場合も外周線が連続していれば1回で指示できる。

続けて、外側の正方形にハッチをかきますが、内側の正方形および円にはハッチしません（これを「中抜きハッチ」と呼ぶ）。

ハッチの種類を2線に変えます。

19 コントロールバー「クリアー」ボタンを🖱。

20 コントロールバー「2線」に切り替える。

21 コントロールバー「角度」に「−45」をキー入力（または確認）する。

22 コントロールバー「ピッチ」に「10」をキー入力する。

23 コントロールバー「線間隔」に「2」をキー入力する。

24 ハッチ範囲の最初の線を🖱。

25 ハッチ範囲の線を順次指示し、最初の線に戻って🖱。

26 ここで「実行」せずに続けて別のハッチ範囲を指示する。ここでは内側の正方形の最初の線を🖱。

重要 ハッチの種類が2線（2重線）または3線（3重線）のときは、「ピッチ」の他に「線間隔」を指定する。線間隔とは、ハッチ平行線の間隔であるピッチではなく、2重線または3重線自体の間隔である ➡ p.133 。

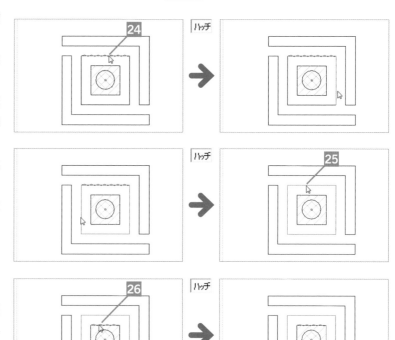

27 ハッチ範囲の線を順次指示し、最初の線に戻って🖱。

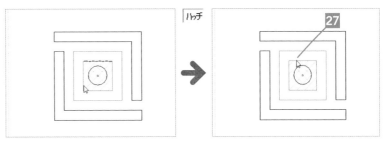

28 基点（ハッチの開始位置）は中心になっている（小さい○印が付いている）ので、この状態でコントロールバー「実行」を🖱。

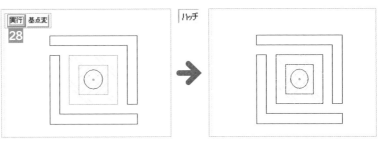

重要 2重線の場合、右図の寸法がそれぞれ「ピッチ」と「線間隔」である。

続けて、右上と左下の2つのL字型の図形に同時にハッチをかきます。ハッチの種類を3線に変えます。操作要領は同じなので、解説は簡略化します。

29 コントロールバー「クリアー」ボタンを🖱。

30 コントロールバー「3線」に切り替える。

31 コントロールバー「角度」に「45」をキー入力する。

32 コントロールバー「ピッチ」に「15」をキー入力する。

33 コントロールバー「線間隔」に「1」をキー入力する。

34 ハッチ範囲の最初の線を🖱。

35 ハッチ範囲の線を順次指示し、最初の線に戻って🖱。

36 ここで「実行」せずに続けて別のハッチ範囲を指示する。ここでは左下のL字型の図形を指示する。

37 コントロールバー「実行」を🖱。

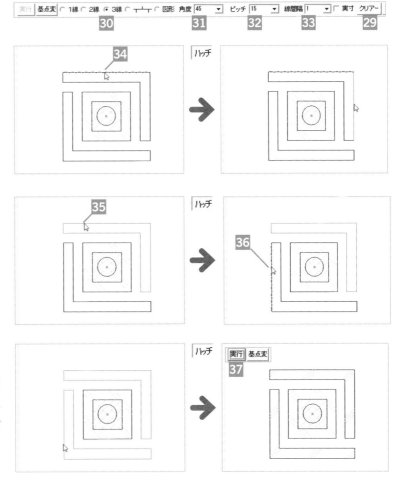

(2) 「ハッチ」右クリックを使う

内側の正方形にハッチをかきます。

1 「ハッチング（ハッチ）」コマンド。

2 コントロールバー「1線」を選択する。

3 コントロールバー「角度」に「45」をキー入力する。

4 コントロールバー「ピッチ」に「3」をキー入力する。

5 ハッチ範囲の最初の線を🖱（右）。

重要 前項で円を🖱（右）で指示したように、外周線が連続している矩形ならば1回で指示できる。

6 コントロールバー「基点変」を🖱し、ハッチ線開始位置として作図済みの中心点を🖱（右）。

7 コントロールバー「実行」を🖱。

続けて、円にハッチをかきます。

8 コントロールバー「クリアー」ボタンを🖱。

9 コントロールバー「角度」に「-45」をキー入力する。

10 円を🖱（右）。

11 コントロールバー「実行」を🖱。

続けて、外側の正方形にハッチをかきます。内側の正方形と円は中抜きします。操作要領は同じなので、解説は簡略化します。

12 コントロールバー「クリアー」ボタンを🖱。

13 コントロールバー「2線」、「ピッチ」は「10」、「線間隔」は「2」。

14 外側の正方形の任意線を🖱（右）。

15 内側の正方形の任意線を右クリック🖱（右）。

16 コントロールバー「実行」を🖱。

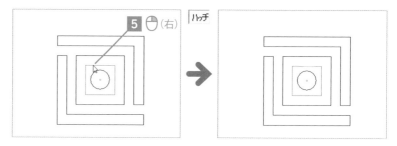

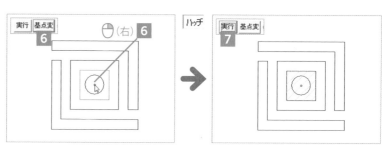

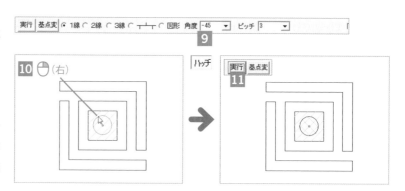

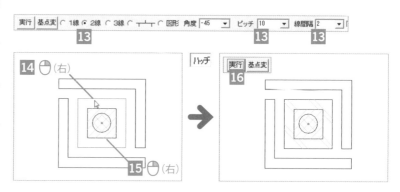

続けて、右上と左下の2つのL字型の図形に同時にハッチをかきます。

17 コントロールバー「クリアー」ボタンを🖱。

18 コントロールバー「3線」、「角度」は「45」、「ピッチ」は「15」、「線間隔」は「1」。

19 右上のL字型図形の任意線を🖱(右)。

20 左下のL字型図形の任意線を🖱(右)。

21 コントロールバー「実行」を🖱。

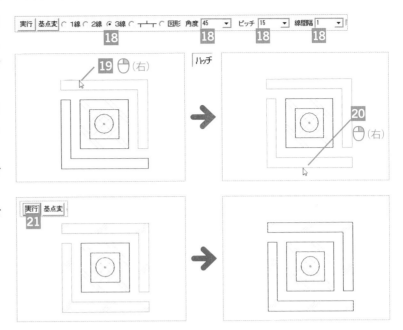

基本ドリル**09-02**

「09-02」では、作図済みの図形内にソリッドをかきます。「ソリッド」とは「中身の詰まった状態」の意味で、Jw_cadでは図形内を着色する機能になります。

「□」コマンドのソリッド機能でもできますが、ここでは「ソリッド」コマンドを使います。なお「ソリッド」コマンドは初期設定のツールバーにはボタンがありません → p.10、95。

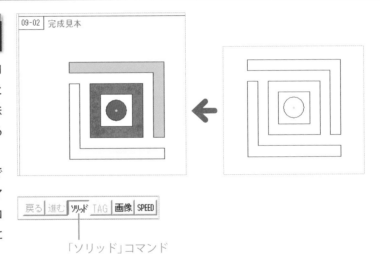

「ソリッド」コマンド

- -

(1) 「ソリッド」を使う

まず、右上のL字型図形に黄緑色のソリッドをかきます。

1 「ソリッド」コマンド。

2 コントロールバー「任意■」ボタンを🖱。

3 「色の設定」ダイアログが開くので、ソリッドに使う色を選択する。ここでは図の黄緑色 ■ を🖱して、「OK」ボタンを🖱。

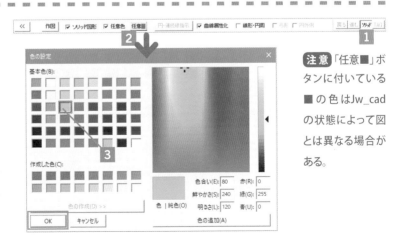

注意 「任意■」ボタンに付いている ■ の色はJw_cadの状態によって図とは異なる場合がある。

コントロールバーのボタンが「任意
■」に変わります。この色がこれか
らかくソリッドの色になります。

4 コントロールバー「曲線属性
化」にチェックを付ける。

注意 ソリッドは三角形単位で扱わ
れるが、ここにチェックを付けると、指
定した多角形を1つのソリッドとして扱
うことができる。

5 ソリッドをかく（着色する）閉図
形の連続する点を順次、指示
する。ここでは、最初の点とし
て図示の頂点を🖱（右）。

6 続けて、連続している隣接頂点
を順次🖱（右）。

重要 ソリッド範囲指定時は、選択さ
れた対象線の色が変わり、始点と指
示点間に赤い点線が結ばれる。

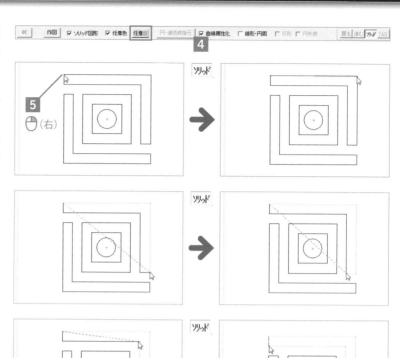

7 最初の点を終点として🖱（右）。

注意 「同一点です」と表示されるが、
ここではよい。

8 コントロールバー「作図」を🖱。

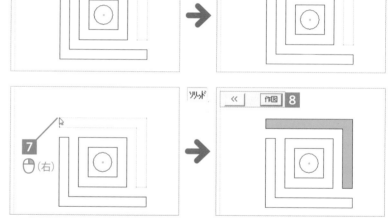

同様にして、左下のL字型図形に黄
色のソリッドをかきます。

9 ソリッドの色を図の黄色に設定
する。

10 図のように、ソリッドをかく閉図
形の頂点を順次🖱（右）。

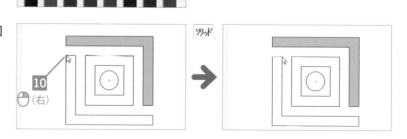

11 最初の点を終点として🖱（右）したら、コントロールバー「作図」を🖱。

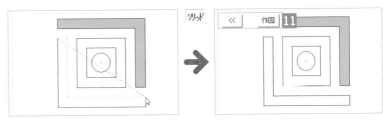

同様にして、外側の正方形に赤色のソリッドをかきます。

12 ソリッドの色を図の赤色に設定する。

13 図のように、ソリッドをかく閉図形の頂点を順次🖱（右）。

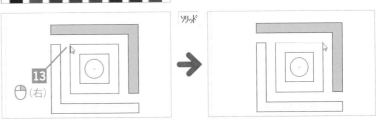

14 最初の点を終点として🖱（右）したら、コントロールバー「作図」を🖱。

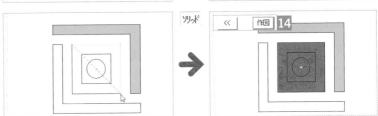

同様にして、内側の正方形に白色のソリッドをかき、非着色のイメージに変更します。

15 ソリッドの色を図の白色に設定する。

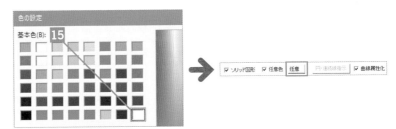

16 図のように、ソリッドをかく閉図形の頂点を順次🖱（右）。

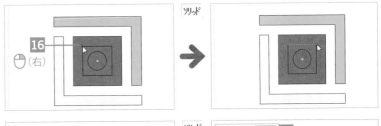

17 最初の点を終点として🖱（右）したら、コントロールバー「作図」を🖱。

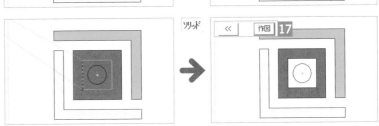

続けて、円に青色のソリッドをかきます。このとき、コントロールバーで設定を変える必要があります。

18 ソリッドの色を図の青色に設定する。

19 コントロールバー「円・連続線指示」を🖱。

注意 このボタンを一度🖱しないと、円のソリッドはできない（頂点指示モードのままでは指示できないため）。

20 円を🖱。

注意 🖱（右）すると外周線が消えてしまうので、必ず🖱する。

重要 コントロールバー「作図」ボタンの🖱は不要になる。

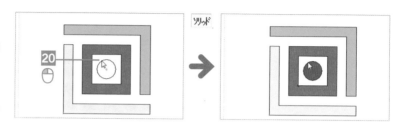

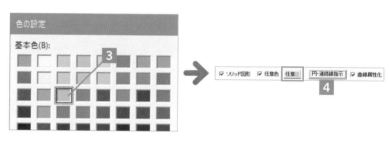

(2) 「ソリッド」円・連続線指示を使う

まず、右上のL字型図形に黄緑色のソリッドをかきます。

1 「ソリッド」コマンド。

2 コントロールバー「任意■」ボタンを🖱。

3 ソリッドの色を図の黄緑色に設定する。

4 コントロールバー「円・連続線指示」を🖱。

5 図のように、ソリッドをかく閉図形の任意線を🖱。

注意 🖱（右）すると外周線が消えてしまうので、必ず🖱する。

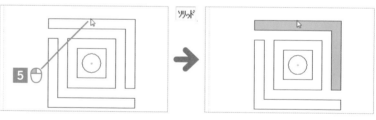

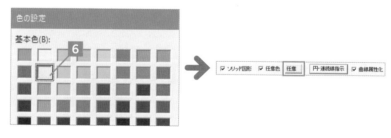

続けて、左下のL字型図形に黄色のソリッドをかきます。

6 ソリッドの色を図の黄色に設定する。

7 図のように、ソリッドをかく閉図形の任意線を🖱。

注意 🖱（右）すると外周線が消えてしまうので、必ず🖱する。

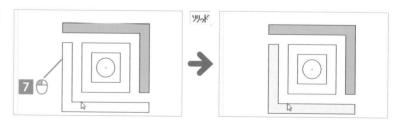

続けて、外側の正方形に赤色のソリッドをかきます。

8 ソリッドの色を図の赤色に設定する。

9 図のように、ソリッドをかく閉図形の任意線を🖱。

注意 🖱(右) すると外周線が消えてしまうので、必ず🖱する。

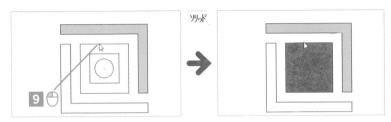

続けて、内側の正方形に白色のソリッドをかきます。

10 ソリッドの色を図の白色に設定する。

11 図のように、ソリッドをかく閉図形の任意線を🖱。

注意 🖱(右) すると外周線が消えてしまうので、必ず🖱する。

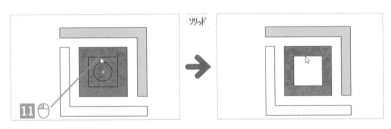

続けて、円に青色のソリッドをかきます。

12 ソリッドの色を図の青色に設定する。

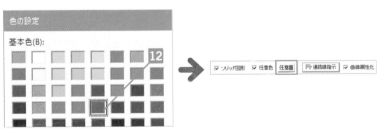

13 図のように、ソリッドをかく閉図形の任意線を🖱。

注意 🖱(右) すると外周線が消えてしまうので、必ず🖱する。

基本ドリル10では図面に文字や特殊文字をかきます。記入する文字は、いったん文字入力ボックスに入力し、図面上の目的の位置に配置するという手順をとります。

【 基本ドリル 10 】　文字、特殊文字をかく

目標完成時間 30分

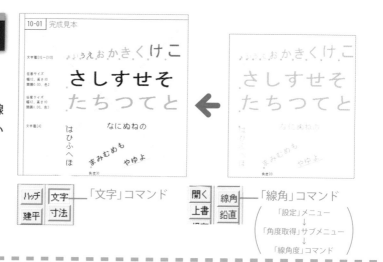

練習ファイル 「ドリル図面」フォルダ ▶「基本ドリル」フォルダ ▶「基本ドリル10.jww」

基本ドリル 10-01

「10-01」では、文字をかきます。「文字」コマンドを使います。
また、文字を斜めにかくために「線角度取得（線角）」コマンドも使います。

「文字」コマンド

「線角」コマンド
「設定」メニュー
↓
「角度取得」サブメニュー
↓
「線角度」コマンド

「文字」を使う

ひらがなをかきます。かく前に、文字の種類を設定します。

記入する文字のガイドとするため、文字の基点とする点（●）と薄いグレーの見本文字を記入済みです（編集や変更ができない保護されたプロテクトレイヤに記入してある）。

1 「文字」コマンド。

2 コントロールバーの書込み文字種ボタン（左端のボタン）を🖰。

3 「書込み文字種変更」ダイアログが開くので、ここでは「文字種[1]」を選択する。

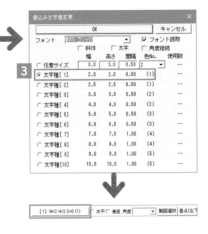

重要 「文字種」とは、文字の大きさ（幅と高さ）、文字と文字（複数の文字を並べた文字列にした場合）の間隔、文字の色（「線属性」の「線色」と同じ種類）の基本セットのこと。その他、「書込み文字種変更」ダイアログでは、フォント、斜体、太字を設定できる。

注意 文字種を選択するとただちにダイアログが閉じるので、「OK」ボタンを🖰する必要はない。

注意 「文字入力」ボックスに入力する文字が日本語（全角文字）の場合は、ボックス内で日本語確定の🖰をすること。ひらがなでもカタカナでもかな漢字でも、全角文字の場合は変換確定しないと図面上には記入できない。

4 「文字」コマンドを実行すると「文字入力」ボックスが開くので、記入する文字をいったんここにキー入力して（ここでは「あ」）、確定する。

5 マウスポインタに、入力した文字数・文字種（大きさ）に合わせた赤い文字列枠が表示されるので、この文字を記入する位置として、見本文字「あ」の左下部に作図済みの点を🖰（右）。

6 続けて「書込み文字種変更」ダイアログで文字種[2]に設定する。

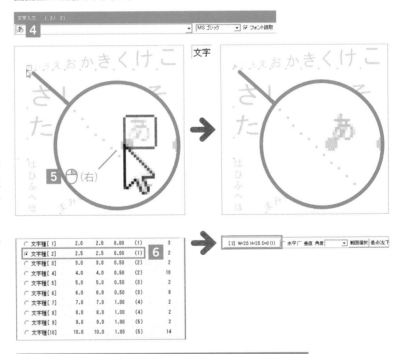

7 「文字入力」ボックスに「い」をキー入力して、確定する。

8 図の点を🖰（右）。

9 同様にして、以下の文字種でそれぞれの文字をかく。

文字種 [3] う　文字種 [4] え
文字種 [5] お　文字種 [6] か
文字種 [7] き　文字種 [8] く
文字種 [9] け　文字種 [10] こ

「さしすせそ」は任意サイズです。
文字種を変更する必要があります。

10 「書込み文字種変更」ダイアログで「任意サイズ」を選択し、「幅」に「12」、「高さ」に「10」、「間隔」に「0」、「色No.」に「2」を入力し、「OK」を🖱。

11 次に「文字入力」ボックスに「さしすせそ」をキー入力して、確定する。

12 図の点を🖱（右）。

続けて、任意サイズで間隔や色を変更します。

13 「書込み文字種変更」ダイアログの「任意サイズ」で「間隔」に「1」、「色No.」に「3」を入力し、「OK」を🖱。

14 「文字入力」ボックスに「たちつてと」をキー入力して、確定する。

15 図の点を🖱（右）。

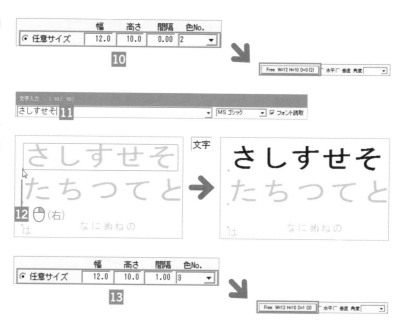

文字種、基点を変更します。

16 文字種 [4] に設定する。

17 コントロールバー「基点（左下）」ボタンを🖱して開く「文字基点設定」ダイアログで、図のように「中中」を選択する。

18 「文字入力」ボックスに「なにぬねの」をキー入力する。

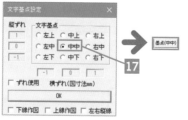

注意 「文字基点」を選択するとただちにダイアログが閉じるので、「OK」ボタンを🖱する必要はない。

19 文字基点が文字列の中心に切り替わるので、そこを作図済みの点に合わせて🖱(右)。

文字基点が文字列の中心になる

ここからは文字の向きを水平以外にしてかきます。

20 コントロールバー「基点（中中）」ボタンを🖱して開く「文字基点設定」ダイアログで、図のように「左下」を選択する。

21 コントロールバー「垂直」と「縦字」にチェックを付ける。

[4] W=4 H=4 D=0.5 (2) ☐水平 ☑垂直 角度 ▼ 範囲選択 基点(左下) 行間 ▼ ☑縦字
21 **21**

22 「文字入力」ボックスに「はひふへほ」をキー入力する。

文字入力 (10/ 10)
|はひふへほ| **22** ▼ MS ゴシック ☑フォント読取

23 文字基点が文字列の左下（垂直の場合は見た目で左上）に切り替わるので、そこを作図済みの点に合わせて🖱(右)。

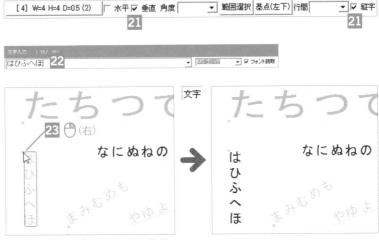

垂直の場合の「左下」は図の位置

24 コントロールバー「垂直」と「縦字」のチェックを外し、「角度」に「30」をキー入力する。

[4] W=4 H=4 D=0.5 (2) ☐水平 ☐垂直 角度 30 ▼ 範囲選択 基点(左下) 行間 ▼ ☐縦字
24 **24** **24**

25 「文字入力」ボックスに「まみむめも」をキー入力する。

文字入力 (10/ 10)
|まみむめも| **25** ▼ MS ゴシック ☑フォント読取

26 作図済みの点に合わせて🖱(右)。

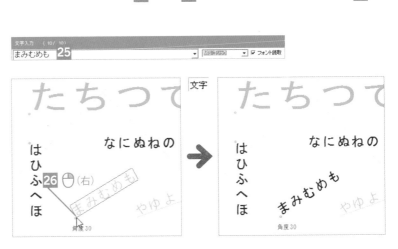

次は作図済みの斜線に平行に沿う文字をかきます。「線角度取得」コマンド ➡ **p.60** を使います。

27 「文字入力」ボックスに「やゆよ」をキー入力する。

28 「線角」コマンド。

29 図の作図済みの線を🖱。

30 文字の配置位置として、線の左端点を🖱（右）。

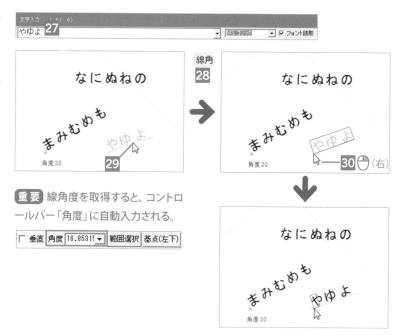

重要 線角度を取得すると、コントロールバー「角度」に自動入力される。

基本ドリル **10-02**

「10-02」以降では、特殊文字をかきます。特殊文字とは、通常のキー入力では記入できないm²や㋐などの単位や記号などです。ここでは上付き文字と下付き文字をかきます。「文字」コマンドを使います。

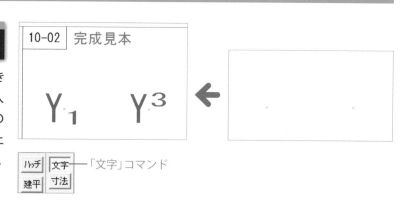

「文字」Y₁ Y³ をかく

完成見本のような上付き文字と下付き文字をかきます。まずは下付き文字です。

1 「文字」コマンド。

2 文字種 [10] に設定。

3 基点（中中）に設定。

4 「文字入力」ボックスに「Y^d1」をキー入力する。

注意 「^」は半角記号、「d」は半角アルファベット小文字のディー。「Y」や「1」は任意文字（ここでは半角文字を入力している）。

重要 「^」はキーボードの右上部のひらがな「へ」キー。半角入力モードにして「へ」キーを押せば入力できる。

重要 「d」は「down」（下）を意味する。

5 図の作図済みの点で🖱（右）。

重要 決められた書式に従って「文字入力」ボックスに入力すると、対応する特殊文字に自動変換され、指示位置に配置される。本書ではすべてを紹介できないが、建築図面で使うおもなものについて、以降、記入練習する。

「^d」に続く文字（ここでは数字の「1」）は下付きになる

続けて、次は上付き文字です。操作要領は同じです。

6 「文字入力」ボックスに「Y^u3」をキー入力する。

注意 「^」は半角記号、「u」は半角アルファベット小文字のユー。「Y」や「3」は任意文字（ここでは半角文字を入力している）。

重要 「u」は「up」（上）を意味する。

7 図の作図済みの点で🖱（右）。

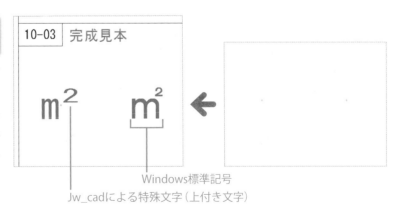

「^u」に続く文字（ここでは数字の「3」）は上付きになる

基本ドリル 10-03

「10-03」では、m²をかきます。m²については、前項「10-02」までのJw_cadだけで有効な特殊文字による記入方法と、Windowsの標準記号による記入方法が選択できるので、比較する意味で紹介します。「文字」コマンドを使います。

| 10-03 | 完成見本 |

m² ← m²

Windows標準記号
Jw_cadによる特殊文字（上付き文字）

| ハッチ | 文字 |——「文字」コマンド
| 建平 | 寸法 |

「文字」m²をかく

Jw_cadの特殊文字である上付き文字で「m²」をかきます。

1 「文字」コマンド。

2 文字種 [10] に設定。

3 基点 (中中) に設定。

4 「文字入力」ボックスに「m^u2」をキー入力する。

5 図の作図済みの点で🖱(右)。

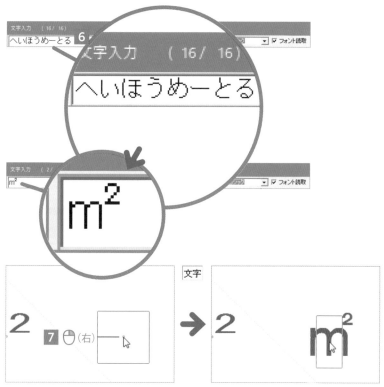

続けて、Windows標準記号で「m²」をかきます。

Windowsの文字検索で「m²」を探して入力することもできますが、Windowsの辞書機能 (標準装備) を使う方が簡単です。

6 「文字入力」ボックスに全角ひらがなで「へいほうめーとる」をキー入力し、日本語変換する。

7 図の作図済みの点で🖱(右)。

基本ドリル 10-04

「10-04」以降は、「合字」とも呼ばれる特殊文字をかきます。
「文字」コマンドを使います。

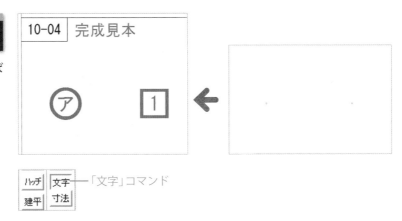

「文字」コマンド

「文字」⑦ 1をかく

完成見本のような○付き文字と□付き文字をかきます。○や□の中にひとまわり小さい文字をかく特殊文字です。

まずは○付き文字です。

1 「文字」コマンド。

2 文字種 [10] に設定。

3 基点 (中中) に設定。

4 「文字入力」ボックスに「○^oア」をキー入力する。

注意「o」は半角アルファベット小文字のオー。「ア」は任意文字だが、ここでは全角カタカナ。

5 図の作図済みの点で🖰(右)。

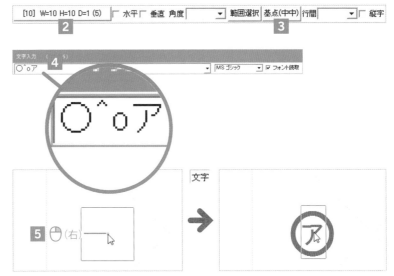

続けて、□付き文字をかきます。

6 「文字入力」ボックスに「□^o1」をキー入力する。

注意「1」は任意文字だが、ここでは半角数字。

7 図の作図済みの点で🖰(右)。

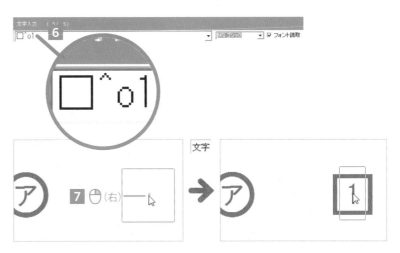

基本ドリル **10-05**

「10-05」では、2文字の○付き文字と□付き文字をかきます。
「文字」コマンドを使います。

「文字」コマンド

「**文字**」㉒ ㉕をかく

2文字の○付きおよび□付き文字をかきます。まず○付きです。

1 「文字」コマンド。

2 文字種 [10] に設定。

3 基点 (中中) に設定。

4 「文字入力」ボックスに「○^w22」をキー入力する。

注意 「w」は半角アルファベット小文字のダブリュー。「22」は任意の半角数字。

5 図の作図済みの点で🖱(右)。

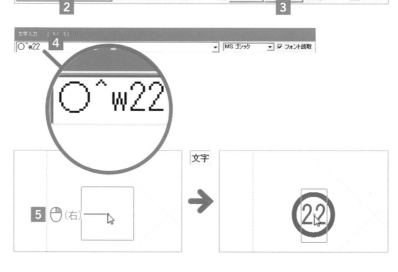

続けて、□付きです。

6 「文字入力」ボックスに「□^w25」をキー入力する。

注意 「25」は任意の半角数字。

7 図の作図済みの点で🖱(右)。

「10-06」では、2文字の重ね文字
をかきます。
「文字」コマンドを使います。

「文字」2文字重ねを使う

まず、重なりの少ない2文字重ね文
字をかきます。

1 「文字」コマンド。

2 文字種 [10] に設定。

3 基点 (中中) に設定。

4 「文字入力」ボックスに「P^
bL」をキー入力する。

注意 「b」は半角アルファベット小文
字のビー。「P」「L」は任意文字。

5 図の作図済みの点で🖱(右)。

続けて、重なりの多い2文字重ね文
字をかきます。

6 「文字入力」ボックスに「P^BL」
をキー入力する。

注意 「B」は半角アルファベット大文
字のビー。「P」「L」は任意文字。

7 図の作図済みの点で🖱(右)。

基本ドリル 10-07

「10-07」では、特殊な重ね文字を
かきます。
「文字」コマンドを使います。

「文字」コマンド

「文字」特殊重ねを使う

特殊な重ね文字をかきます。
まず□付き文字ですが、□の中に
入れる文字を小さくしないでそのま
ま重ねる入力方法です。

1 「文字」コマンド。

2 文字種 [10] に設定。

3 基点 (中中) に設定。

4 「文字入力」ボックスに「□＾
n5」をキー入力する。

注意 「n」は半角アルファベット小文
字のエヌ。「5」は任意文字だが、ここ
でのように全角文字にしないと左揃え
で重なってしまう。

5 図の作図済みの点で🖱(右)。

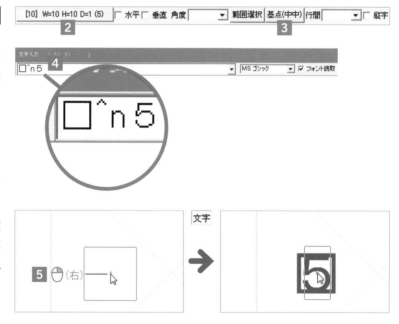

続けて、前側の文字の縦サイズを
小さくして後側の文字と重ねます。
小さくした前側の文字は縦方向の
中央に配置します。

6 「文字入力」ボックスに「＾cC
＾BL」をキー入力する。

注意 「B」は半角アルファベット大文
字のビー。「C」「L」は任意文字である。
「＾BL＾cC」と順番を変えてはいけな
い。

7 図の作図済みの点で🖱(右)。

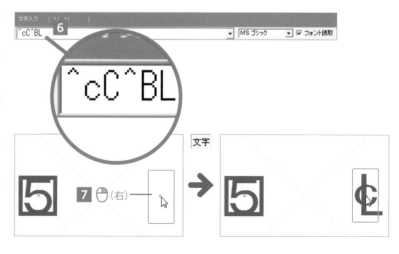

基本ドリル **10-08**

「10-08」以降は、複数の文字列を揃えてかきます。
「文字」コマンドを使います。

10-08 完成見本

ABCDE

A B C D E

A B C D E

ハッチ｜文字 ――「文字」コマンド
建平｜寸法

■ 「文字」間隔変更を使う

アルファベット5文字からなる文字列（横書き）を、文字種を変えずに文字間隔を変えて3セット記入します。ここでは、それらを水平位置中央で揃えますが、あらかじめ水平位置を揃えた読取点をかいておき、そこに文字列を配置する方法で行います。

1 「文字」コマンド。

2 文字種 [6] に設定。

3 基点 (中中) に設定。

4 「文字入力」ボックスに「ABCDE」をキー入力する。

5 図の作図済みの点で🖱(右)。

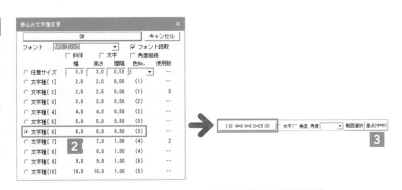

2セット目の「ABCDE」を文字間隔をかえて記入します。また、「文字入力」ボックスへの入力段階では履歴リストを利用します。

6 「文字入力」ボックスの▼ボタンを🖱し、「ABCDE」を🖱して選択する。

7 「文字入力」ボックスに「ABCDE」が入力されたら、末尾に「・」（全角のなかてん）を追加入力する。

注意 全角の「・」（なかてん）は、「文字入力」ボックスに「てん」をキー入力し、日本語変換すればよい。

8 図の作図済みの点で🖱(右)。

図のように、文字列「ABCDE」の文字間隔が少し拡がって記入されます。以下同様にして、もう少し文字間隔を拡げて記入してみます。

9 「文字入力」ボックスの▼ボタン🖱し、「ABCDE ・」を🖱して選択する。

10 「文字入力」ボックスに「ABCDE ・」が入力されたら、末尾にもう1つ「・」を追加入力する。

11 図の作図済みの点で🖱(右)。

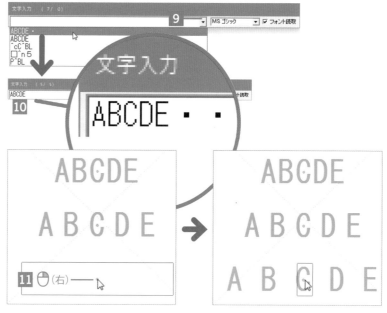

基本ドリル **10-09**

「10-09」では、文字に線を追加します。
「文字」コマンドを使います。

「文字」コマンド

「文字」線追加を使う

入力した文字の下部に線を追加します。

1 「文字」コマンド。

2 文字種 [6] に設定。

3 基点 (中中) に設定。

4「文字入力」ボックスに「ABC
DE」をキー入力する。
3の「基点（中中）」ボタンを🖲
して「文字基点設定」ダイアロ
グの「下線作図」にチェックを
入れて「OK」を🖲し、「基点（中
中）」が「下線（中中）」に変わる
ことを確認する。

5図の作図済みの点で🖲（右）。

図のように、文字列「ABCDE」の下
部に線が追加されます。

次に、囲み文字にする方法です。

6「文字入力」ボックスに「ABC
DE」をキー入力する。「下線
（中中）」ボタンを🖲して「文字
基点設定」ダイアログを開き、
「上線作図」「左右縦線」にも
チェックを入れて「OK」を🖲し、
「下線（中中）」が「□（中中）」
に変わることを確認する。

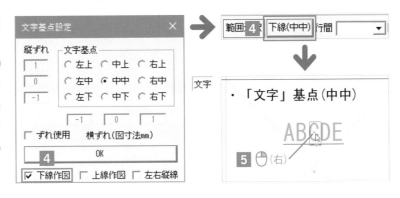

7図の作図済みの点で🖲（右）。

図のように、四角で囲まれた文字
になります。

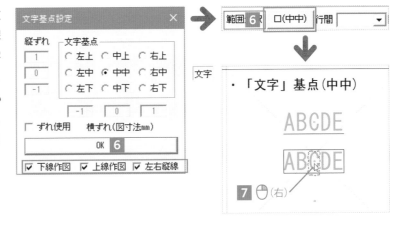

8同様に、「文字入力」ボックスに
「ABCDE」をキー入力する。「□
（中中）」ボタンを🖲して「文字
基点設定」ダイアログを開き、
「ずれ使用」にもチェックを入れ
て「OK」を🖲する。これにより、
文字の前後左右に1mmの隙
間を空けて文字を囲む設定と
なる。

9図の作図済みの点で🖲（右）。

図のように、1mm隙間のある四角
で囲まれた文字になります。

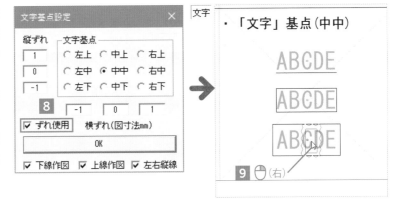

基本ドリル11では作図済みの線や点間に寸法をかきます。水平（横方向）・垂直（縦方向）・斜線寸法、角度寸法、半径・直径寸法、引出線（寸法補助線）の有無など多くのバリエーション機能が用意されています。

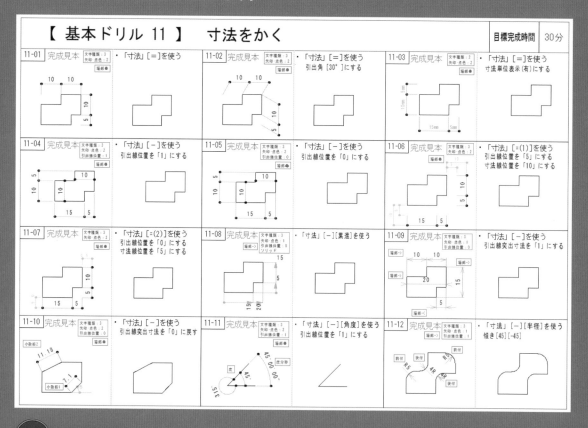

【 基本ドリル 11 】　寸法をかく　　　目標完成時間　30分

◎ **練習ファイル**　「ドリル図面」フォルダ ▶「基本ドリル」フォルダ ▶「基本ドリル11.jww」

基本ドリル **11-01**

「11-01」では、凹凸のある図形に水平および垂直の連続寸法をかきます。

「寸法」コマンドを使います。

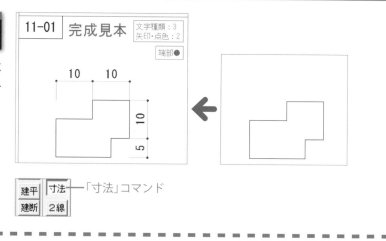

「寸法」＝連続寸法を使う

まず、寸法の仕様を決めてから水平の連続寸法をかきます。

1 「寸法」コマンド。

2 コントロールバーの設定が図と同じであることを確認する。

3 コントロールバー「設定」ボタンを🖱して開く「寸法設定」ダイアログで図のように設定する。

注意 項目は多いがほとんどが初期設定（標準）である。ここでは図の2個所を設定し、他も確認する。

4 「OK」ボタンを🖱。

5 まず引出線（寸法補助線）の始点として、図の頂点を🖱（右）。

6 続いて寸法線の位置（ここでは水平位置）として、図示付近の任意位置で🖱。

7 続いて寸法の始点として、寸法を記入する片方の端点である図の頂点を🖱または🖱（右）。

8 続いて寸法の終点として、寸法を記入するもう片方の端点である図の頂点を🖱または🖱（右）。

9 ここでは連続寸法にするので、連続寸法の終点として、図の頂点を🖱（右）。

注意 1つの寸法をかく場合は寸法の始点・終点指示は🖱・🖱（右）どちらでもよい。ただし連続寸法にする場合は終点が隣の寸法の始点を兼ねるので、隣の寸法の始点指示は省略して終点指示を🖱（右）で行う。この時に🖱すると別の寸法の始点指示になってしまうので注意（図のステータスバーのメッセージを参照）。

10 コントロールバー「リセット」ボタンを🖱。

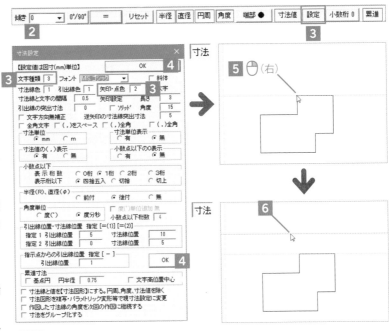

注意 「OK」ボタンは2つあるが、どちらでもよい。

1つ目の寸法の終点指示は
隣の寸法の始点指示を兼ねる

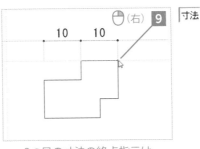

2つ目の寸法の終点指示は
🖱（右）で行う

○●寸法の始点はマウス(L)、連続入力の終点はマウス(R)で指示して下さい。

注意 寸法の記入が終わったら必ず「リセット」する。そうしないと、同じ仕様の寸法記入モードが続く。

次に垂直の連続寸法をかきます。操作要領は水平の連続寸法と同様です。

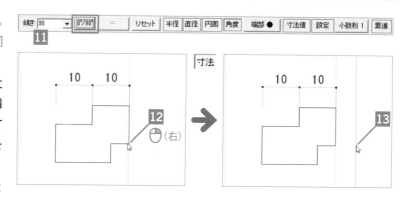

11 コントロールバー「傾き」に「90」をキー入力するか、右隣にある「0°/90°」ボタンを🖱して コントロールバー「傾き」を「90」に切り替える。

重要 この設定で寸法が垂直方向にかかれる。

12 引出線始点位置として、図の頂点を🖱（右）。

13 寸法線の位置（ここでは垂直位置）として、図示付近の任意位置で🖱。

14 寸法の始点として、図の頂点を🖱または🖱（右）。

15 寸法の終点として、図の頂点を🖱または🖱（右）。

16 連続寸法の終点として、図の頂点を🖱（右）。

17 コントロールバー「リセット」ボタンを🖱。

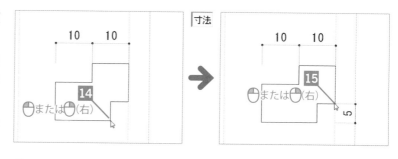

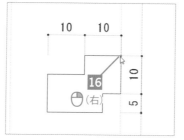

基本ドリル 11-02

「11-02」では、前項「11-01」と同じ凹凸のある図形に、引出線を垂直ではなく斜めに引き出した水平連続寸法および垂直連続寸法をかきます。

「寸法」コマンドを使います。

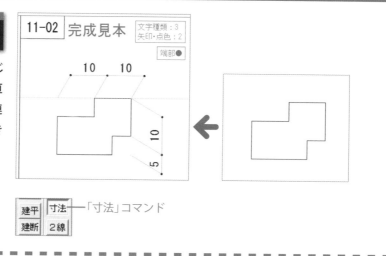

「寸法」＝引出角を使う

まず、引出線を30°右傾斜させた水平の連続寸法をかきます。

1 「寸法」コマンド。

2 コントロールバー「傾き」に「0」をキー入力する。

3 引出線始点位置として、図の頂点を🖱（右）。

4 寸法線の位置として、図示付近の任意位置で🖱。

5 コントロールバー「引出角 0」を🖱して「30°」に切り替える。

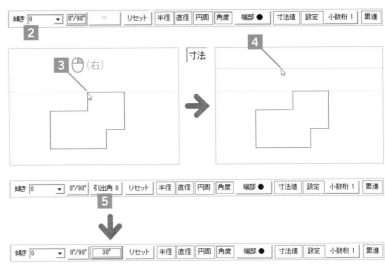

6 寸法の始点として、図の頂点を🖱または🖱（右）。

7 寸法の終点として、図の頂点を🖱または🖱（右）。

8 連続寸法の終点として、図の頂点を🖱（右）。

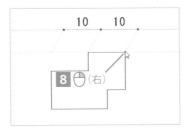

続けて、引出線を30°下傾斜させた垂直の連続寸法をかきます。解説は簡略化します。

9 リセットする。

10 コントロールバー「傾き」に「90」をキー入力する。

11 引出線始点位置として、図の頂点を🖱（右）。

12 寸法線の位置として、図示付近の任意位置で🖱。

13 寸法の始点→最初の終点→連続寸法の終点を順次指示する。

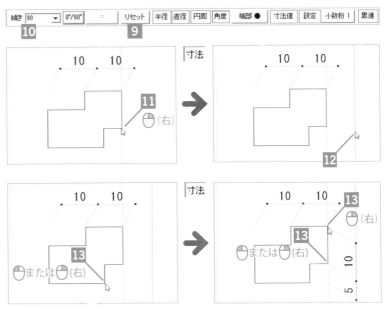

基本ドリル **11-03**

「11-03」では、単位を付けて寸法をかきます。

「寸法」コマンドを使います。

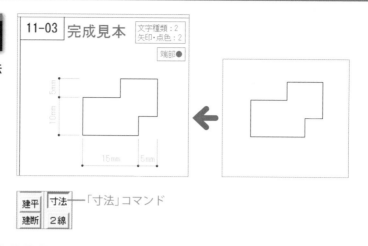

建平 寸法 ——「寸法」コマンド
建断 2線

「寸法」＝寸法単位を使う

単位mmが付いた寸法をかきます。寸法記入の操作要領は「11-01」と同様なので、解説は簡略化します。

1. 「寸法」コマンド。
2. コントロールバーの設定を図と同じにする。
3. 「寸法設定」ダイアログで図のように設定する。「文字種類」には「2」をキー入力し、「寸法単位」は「mm」、「寸法単位表示」は「有」を選択する。
4. 完成見本のように、水平および垂直の連続寸法をかく。

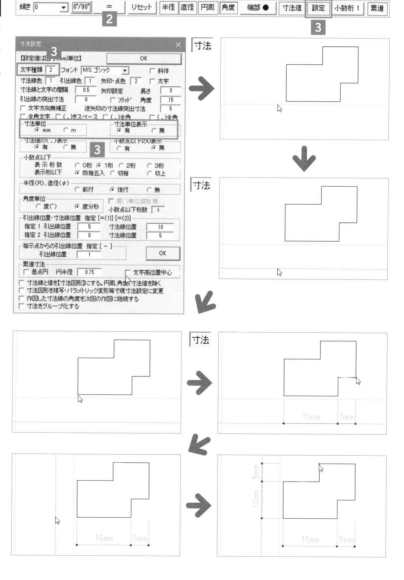

「11-04」では、引出線始点位置をマウス指示しないで寸法をかきます。この機能を使うと、図形の内部に寸法をかくこともできます。
「寸法」コマンドを使います。

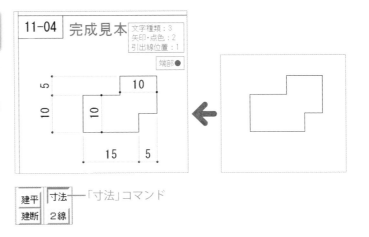

11-04	完成見本	文字種類：3 矢印・点色：2 引出線位置：1

端部●

「寸法」－引出線位置1を使う

まず、寸法対象線から一定の距離（間隔）で引出線を開始する水平・垂直寸法をかきます。寸法記入の操作要領は前項までと同様なので、解説は簡略化します。

1 「寸法」コマンド。

2 コントロールバーの設定を図と同じにする。図のボタンは何度か🖱️して「－」にする。

[重要] このボタンを［－］にすると引出線始点位置のマウス指示を省ける。引出線は「寸法設定」ダイアログで設定した寸法対象線からの距離で自動的に決まる（**3** 参照）。

3 「寸法設定」ダイアログで図のように設定する。「引出線位置」には「1」をキー入力する。

4 寸法線の位置として、図示付近の任意位置で🖱️。

5 寸法の始点→最初の終点→連続寸法の終点を順次指示する。

6 リセットする。

7 コントロールバー「傾き」を「90」に切り替えてから、図の位置の垂直寸法をかく。

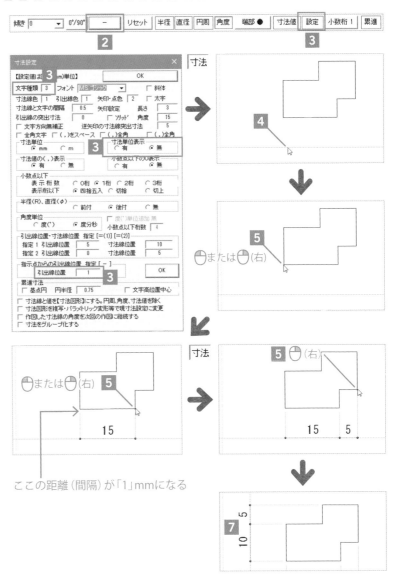

ここの距離（間隔）が「1」mmになる

続けて図形の内部寸法をかきます。

8 リセットする。

9 コントロールバー「傾き」を「0」に切り替える。

10 寸法線の位置として、図示付近の任意位置で🖱。

11 寸法の始点として、左側の垂直の辺と寸法線位置を示す赤い点線の交点を🖱または🖱（右）。

12 寸法の終点として、右側の垂直の辺と寸法線位置を示す赤い点線の交点を🖱または🖱（右）。

13 リセットする。

14 コントロールバー「傾き」を「90」に切り替えてから、同様にして図の内部寸法もかく。

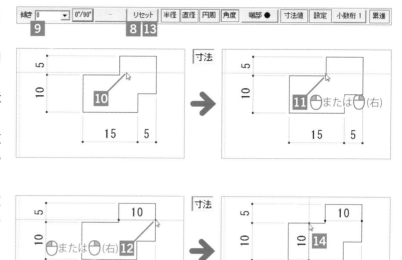

基本ドリル **11-05**

「11-05」では前項「11-04」と同じ寸法をかきますが、ここでは引出線始点位置を「0」に設定し（図を参照）、引出線を寸法対象線に接続させます。

寸法記入の操作要領は前項「11-04」と同様なので、解説は割愛します。

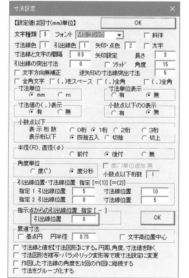

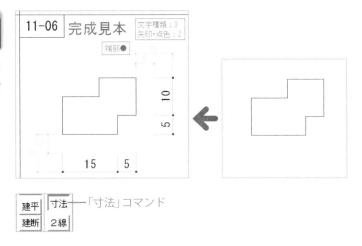

基本ドリル 11-06

「11-06」では、引出線始点位置および寸法線位置をともにマウス指示しないで寸法をかきます。
「寸法」コマンドを使います。

建平	寸法 |———「寸法」コマンド
建断	2線

「寸法」＝（1）を使う

引出線始点位置と寸法線位置をともに「寸法設定」ダイアログで指定して寸法をかきます。最初に水平寸法、続いて垂直寸法の順に記入します。

寸法記入の操作要領は前項までと同様なので、解説は簡略化します。

1 「寸法」コマンド。

2 コントロールバーの設定を図と同じにする。図のボタンは何度か🖱して「＝（1）」にする。

3 「寸法設定」ダイアログで図のように設定する。「指定 1」の2項目にはそれぞれ「5」「10」をキー入力または確認する。

4 寸法記入の基準点を🖱（右）し、表示される赤色の仮の引出線始点位置および寸法線位置がOKであれば、マウスを少し動かして確定させる。

注意 基準点の指定およびマウス移動による確定は必須操作である。

5 寸法の始点として、図の頂点を🖱または🖱（右）。

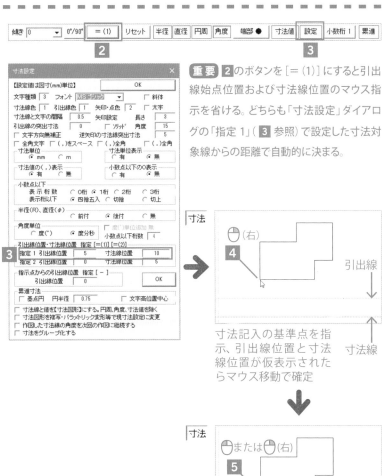

重要 **2**のボタンを［＝（1）］にすると引出線始点位置および寸法線位置のマウス指示を省ける。どちらも「寸法設定」ダイアログの「指定 1」（**3** 参照）で設定した寸法対象線からの距離で自動的に決まる。

寸法記入の基準点を指示、引出線位置と寸法線位置が仮表示されたらマウス移動で確定

寸法の始点を指示
（ここでは基準点と同じ点）

6 続けて、寸法の最初の終点を👆(右)。

7 続けて、連続寸法の終点を👆(右)。

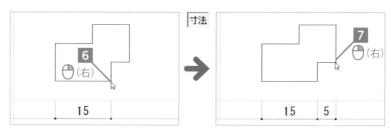

続いて、垂直寸法を記入します。

8 リセットして、コントロールバー「傾き」を「90」に切り替える。

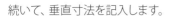

9 寸法記入の基準点を👆(右)し、表示される赤色の仮の引出線始点位置および寸法線位置がOKであれば、マウスを少し動かして確定させる。

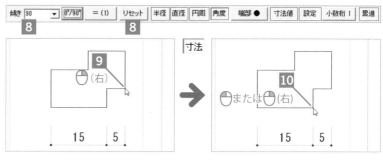

10 寸法の始点として、図の頂点を👆または👆(右)。

11 続けて、寸法の最初の終点を👆または👆(右)。

12 続けて、連続寸法の終点を👆(右)。

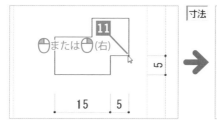
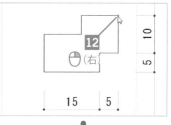

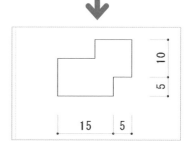

基本ドリル 11-07

「11-07」では前項「11-06」と同じ寸法をかきますが、ここでは引出線始点位置および寸法線位置を変更します。

寸法記入の操作要領は前項「11-06」と同様なので、解説は簡略化します。

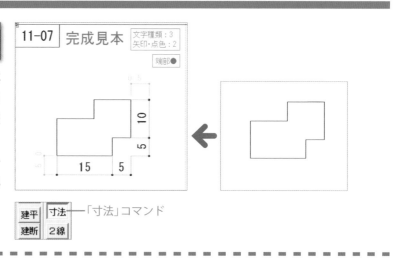

「寸法」＝（2）を使う

引出線始点位置と寸法線位置をともに「寸法設定」ダイアログで指定して寸法をかきます。寸法記入の操作要領は前項までと同様なので、解説は簡略化します。

1. 「寸法」コマンド。
2. コントロールバーの設定を図と同じにする。図のボタンは何度か🖱して「＝（2）」にする。
3. 「寸法設定」ダイアログで図のように設定する。「指定2」の2項目にはそれぞれ「0」「5」をキー入力または確認する。
4. 寸法記入の基準点を🖱（右）し、表示される赤色の仮の引出線始点位置および寸法線位置がOKであれば、マウスを少し動かして確定させる。
5. 図のように各寸法をかく。

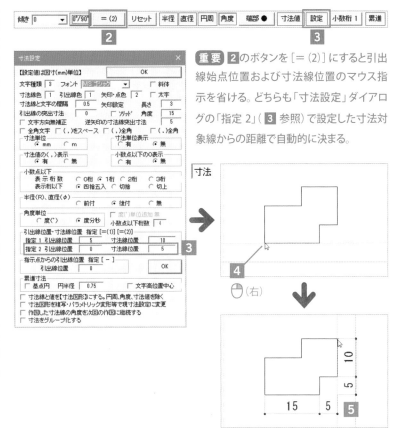

重要 **2**のボタンを［＝（2）］にすると引出線始点位置および寸法線位置のマウス指示を省ける。どちらも「寸法設定」ダイアログの「指定2」（**3** 参照）で設定した寸法対象線からの距離で自動的に決まる。

基本ドリル 11-08

「11-08」では、累進寸法をかきます。
「寸法」コマンドを使います。

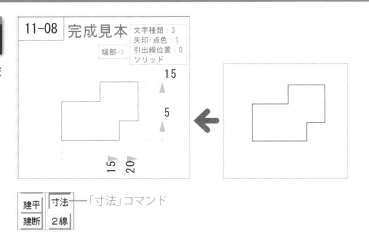

「寸法」－累進寸法を使う

累進寸法をかきます。

1. 「寸法」コマンド。
2. コントロールバーの設定を図と同じにする。図のボタンは何度か🖱して「－」と「端部–>」にする。

重要 寸法線の両端は初期設定では●だが、このボタンを「端部–>」にすると矢印になる。

3 「寸法設定」ダイアログで図のように設定する。「引出線位置」には「0」をキー入力し、「ソリッド」のチェックを入れる。

4 コントロールバー「累進」ボタンを🖱。

5 寸法線の位置として、図示付近の任意位置を🖱。

6 寸法の始点として、図の頂点を🖱（右）。

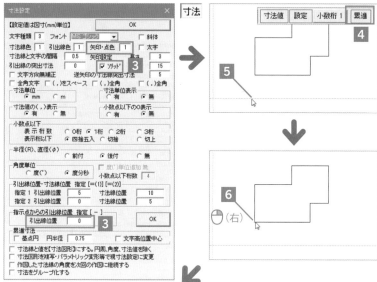

7 寸法の終点として、図の頂点を🖱または🖱（右）。

8 連続寸法の終点として、図の頂点を🖱または🖱（右）。

重要 累進寸法の寸法線の片方の端には矢印が付く。

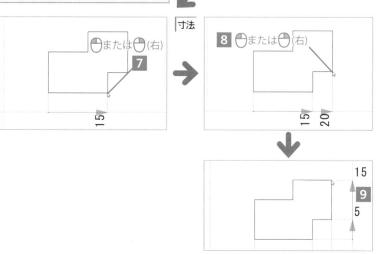

9 リセットして、同様に図のように垂直方向の累進寸法をかく。

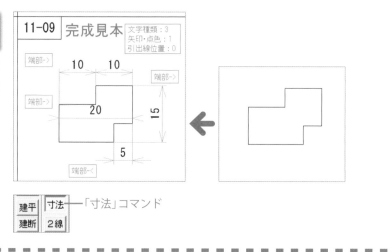

基本ドリル **11-09**

「11-09」では、突出寸法（Jw_cad では引出線が寸法線よりも外側にはみだしている形をいう）をかき、寸法線に矢印を付けます。また、図形内部にも矢印付き寸法をかきます。

「寸法」コマンドを使います。

「寸法」－突出寸法を使う

まず、突出寸法をかきます。

1 「寸法」コマンド。

2 コントロールバーの設定を図と同じにする。

3 「寸法設定」ダイアログで図のように設定する。「引出線の突出寸法」に「1」をキー入力し、「ソリッド」のチェックを外す。

4 寸法線の位置として、図示付近の任意位置を🖱。

5 寸法の始点として、図の頂点を🖱または🖱(右)。

6 寸法の終点として、図の頂点を🖱または🖱(右)。

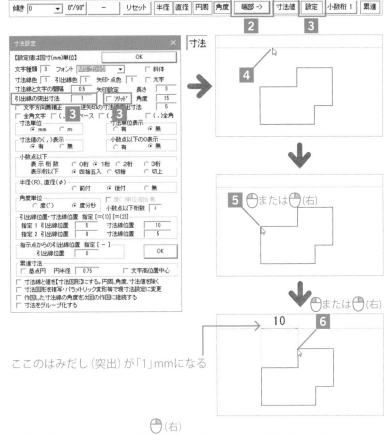

ここのはみだし(突出)が「1」mmになる

7 連続寸法の終点として、図の頂点を🖱(右)。

8 リセットして、同様に図のように垂直寸法をかく。

注意 始点→終点は下から上の順番で指示する。

次に、図形内部に矢印付き寸法をかきます。寸法の始点→終点の順番(方向)により矢印の向きが変わります。

9 リセットする。

10 コントロールバーの設定を図と同じにする。図のボタンを🖱して「端部−<」にする。

11 寸法線の位置として、図示付近の任意位置を🖱。

12 寸法の始点として、図の交点をを🖱または🖱(右)。

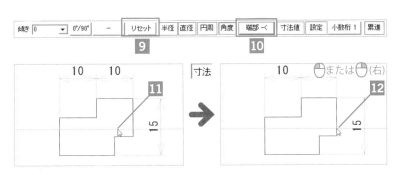

13 寸法の終点として、図の交点を
　を🖱または🖱(右)。

重要 ボタン表示が「端部-<」の場
合、始点→終点の指示順番(方向)が
右から左、上から下の場合は➤─◄、
左から右、下から上の場合は➤─◄
になる。

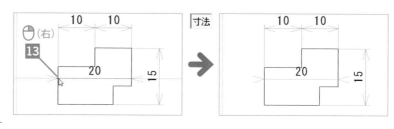

次に、図形下辺凹み部の突出寸法
をかきます。

14 リセットする。

15 コントロールバーの図のボタン
　が「端部 -<」であることを確認
　する。

16 寸法線の位置として、図示付近
　の任意位置を🖱。

17 寸法の始点として、図の交点を
　を🖱または🖱(右)。

18 寸法の終点として、図の交点を
　を🖱または🖱(右)。

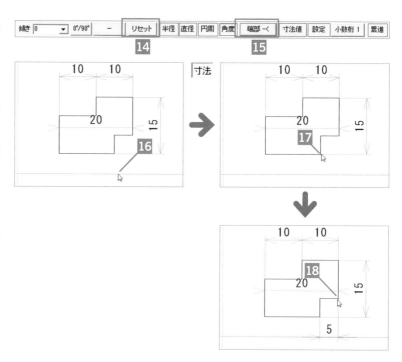

基本ドリル **11-10**

「11-10」では、斜線に平行な寸法
(斜め寸法＝角度指定の寸法)を
かきます。
「寸法」「線角度取得(線角)」コマ
ンドを使います。

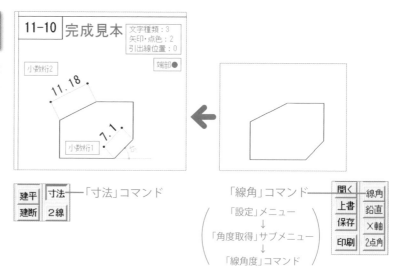

「寸法」－「線角度」を使う

まず、左上の斜辺に寸法をかきます。このように角度がわからない線に寸法をかく場合は「線角」コマンドを使います。また、寸法値を小数点以下2桁まで表示します。

1 「寸法」コマンド。

2 コントロールバーの設定を図と同じにする。図のボタンを🖱して「端部 ●」「小数桁2」にする。

3 「寸法設定」ダイアログで「矢印・点色」に「2」、「引出線位置」に「0」をキー入力する。

4 「線角」コマンド。

5 図の斜辺を🖱。

6 寸法線の位置として、図示付近の任意位置を🖱。

7 寸法の始点として、図の頂点を🖱または🖱(右)。

8 寸法の終点として、図の頂点を🖱または🖱(右)。

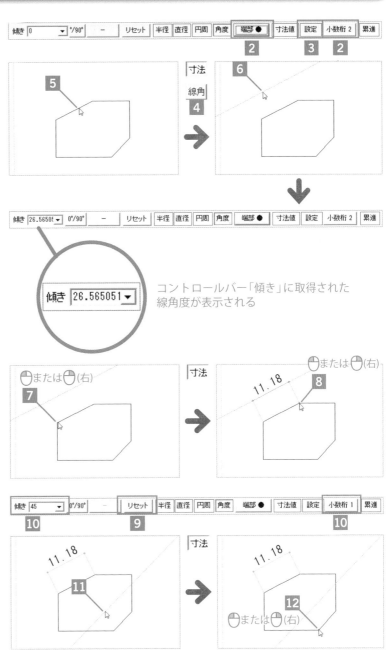

コントロールバー「傾き」に取得された線角度が表示される

次に、右下の斜辺の内側に寸法をかきます。ここは45°とわかっているので「傾き」を指定します。また、寸法値を小数点以下1桁まで表示します。

9 リセットする。

10 コントロールバー「傾き」に「45」をキー入力し、「小数桁1」にする。

11 寸法線の位置として、図示付近の任意位置を🖱。

12 寸法の始点として、図の頂点を🖱または🖱(右)。

13 寸法の終点として、図の頂点を🖱または🖱(右)。

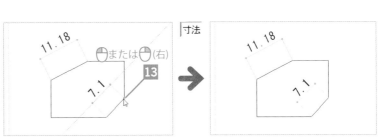

基本ドリル **11-11**

「11-11」では、角度線の内側および外側に角度寸法をかきます。
「寸法」コマンドを使います。

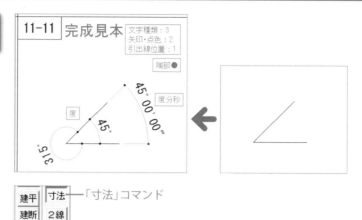

まず、角度線の内側に角度寸法をかきます。

「寸法」－角度を使う

1 「寸法」コマンド。

2 コントロールバーの設定を図と同じにする。「角度」ボタンは🖱してボタンをくぼませ、枠線付き表示に切り替える。

注意 ボタン表示を **2** の状態にすることで角度寸法記入モードとなる。

3 「寸法設定」ダイアログで図のように設定する。「引出線の突出寸法」には「0」をキー入力し、「角度単位」は「度（°）」を選択する。

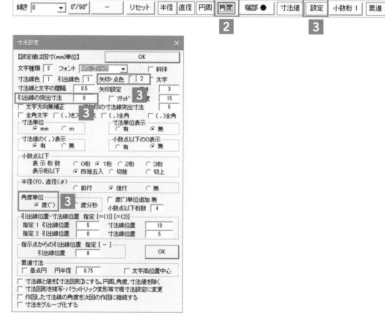

4 角度線の原点として、図の頂点を🖱（右）。

5 寸法線の位置として、角度線の内側の任意位置を🖱。

6 寸法の始点として、図の交点を🖱(右)。

7 寸法の終点として、図の交点を🖱(右)。

次に、角度線の外側に角度寸法をかきます。内側にかく場合との違いは、寸法線の位置を角度線の外側に指定することだけです。

8 リセットし、コントロールバー「角度」ボタンを🖱。

9 角度線の原点として、図の頂点を🖱(右)。

10 寸法線の位置として、角度線の外側の任意位置を🖱。

11 寸法の始点として、図の交点を🖱(右)。

12 寸法の終点として、図の交点を🖱(右)。

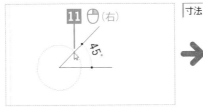

次に、寸法の単位を度分秒表示にする方法を紹介します。寸法記入の操作要領は同様なので、寸法のかき方は図だけで解説します。

13 リセットし、コントロールバー「角度」ボタンを🖱。

14 「寸法設定」ダイアログで図のように設定する。「角度単位」は「度分秒」を選択し、図の「引出線位置」に「1」を入力する。

15 図のように角度寸法をかく。

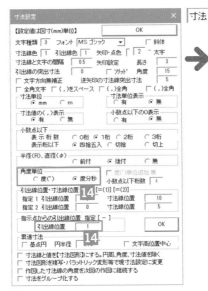

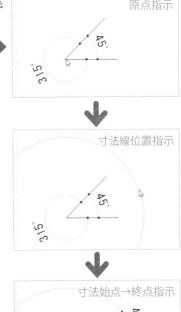

基本ドリル **11-12**

「11-12」では、半径（曲線部R）寸
法をかきます。
「寸法」コマンドを使います。

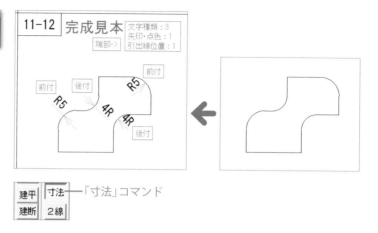

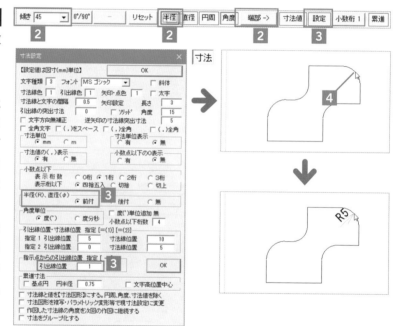

「寸法」－半径寸法を使う

まず、曲線部の内側に、記号を数
字の前付で半径寸法をかきます。

1 「寸法」コマンド。

2 コントロールバーの設定を図と
同じにする。「傾き」には「45」
をキー入力し、「端部 –>」にす
る。「半径」ボタンを🖱してボタ
ンをくぼませ、枠線付き表示に
切り替える。

3 「寸法設定」ダイアログで図のよ
うに設定する。「半径（R）、直径
（φ）」は「前付」を選択し、図の
「引出線位置」に「1」をキー入
力する。

注意 半径の「R」や直径の「φ」は、
「前付」では数字の前に、「後付」では
数字の後に付く。

4 半径寸法をかく円として、図の
円周上の任意位置を🖱。

次に、別の曲線部の外側に、記号を数字の前付で半径寸法をかきます。

5 リセットする。

6 コントロールバー「傾き」に「-45」、「半径」ボタンを🖱。

7 半径寸法をかく円として、図の円周上の任意位置を🖱（右）。

重要 円（円周）を指示するとき、🖱すると内側、🖱（右）すると外側に半径寸法がかかれる。

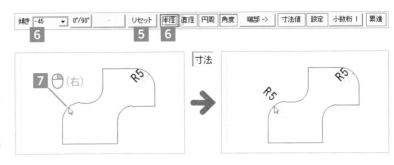

次に、別の曲線部の内側に、記号を数字の後付で半径寸法をかきます。

8 リセットし、コントロールバー「半径」ボタンを🖱。

9 「寸法設定」ダイアログで図のように設定する。「半径（R）、直径（φ）」は「後付」を選択する。

10 半径寸法をかく円として、図の円周上の任意位置を🖱。

次に、別の曲線部の外側に、記号を数字の後付で半径寸法をかきます。

11 リセットし、コントロールバー「半径」ボタンを🖱。

12 半径寸法をかく円として、図の円周上の任意位置を🖱（右）。

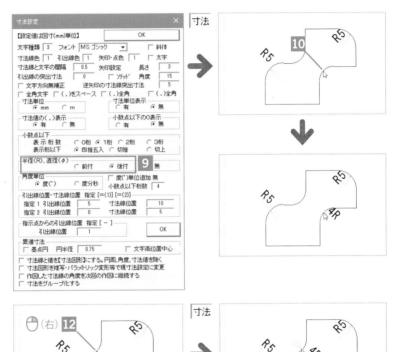

基本ドリル12では作図済みの線（図形）・文字（寸法値も含む）を複写・移動します。複写と移動の機能は、元図が残るか消えるかの違いだけで、操作方法はまったく同じです。

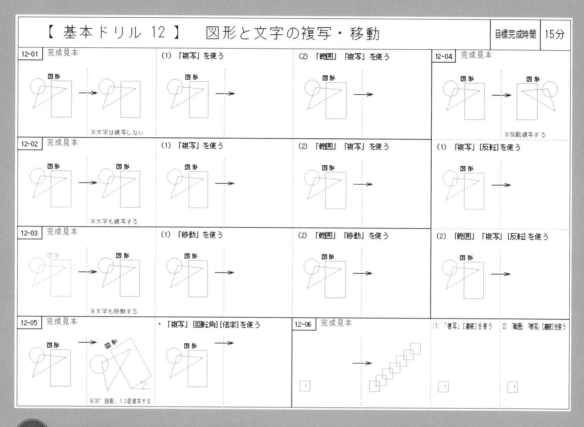

練習ファイル 「ドリル図面」フォルダ ▶「基本ドリル」フォルダ ▶「基本ドリル12.jww」

基本ドリル **12-01**

「12-01」では、作図済みの線（図形）を複写します。文字（寸法値も含む）は対象外とする操作を行います。

「図形複写（複写）」「範囲選択（範囲）」コマンドを使います。

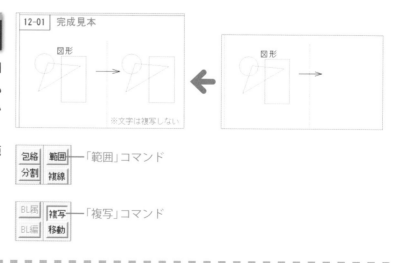

(1) 「複写」図形のみを使う

図形のみの複写を行います。文字（寸法を含む）は複写の対象外です。

1 「複写」コマンド。

2 ここでは3つの図形（円、三角形、長方形）を一括で複写するので、それらをすべて包含するように範囲指定するため、まず範囲選択の始点として図示付近の任意位置を🖱（ **➡ p.66** ）。

3 マウスを移動して赤い仮の範囲枠を操作し、範囲選択の終点として図示付近の任意位置を🖱。3つの図形の色が変わればよい。

4 コントロールバー「選択確定」ボタンを🖱。

5 コントロールバー「任意方向」を「X方向」に切り替える。

6 マウスを移動して、複写先の任意位置を🖱。「／」コマンドを🖱して確定する。

注意 範囲選択の終点指示🖱は文字（寸法を含む）を選択しない方法である。ここで🖱（右）すると文字も選択されてしまうので注意。

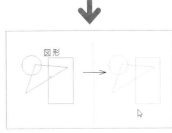

重要 「X方向」に設定すると、図形が水平方向にしか複写できなくなる。

(2) 「範囲」「複写」図形のみを使う

前項(1)と同様、図形のみの複写を行いますが、複写する図形を「範囲」コマンドで選択してから複写する方法で行います。

1 「範囲」コマンド。

2 前項(1)と同様に、3つの図形をすべて包含するように範囲選択し、終点を🖱して範囲を確定する。

3 「複写」コマンド。

4 コントロールバー「任意方向」を「X方向」に切り替える（または確認）。

5 マウスを移動して、複写先の任意位置を🖱。「／」コマンドを🖱して確定する。

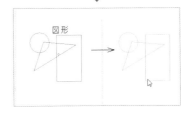

基本ドリル 12-02

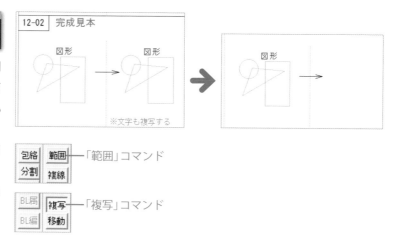

「12-02」では、前項「12-01」と同様に3つの図形を一括で複写しますが、ここでは図形に加えて文字も一緒に複写します。

「複写」「範囲」コマンドを使います。

範囲選択の終点指示方法が異なるだけなので解説は簡略化します。

---

(1) 「複写」図形と文字を使う

図形と文字を一括して複写します。

1 「複写」コマンド。

2 3つの図形および文字（文字列）をすべて包含するように範囲選択するが、終点指示は🖱（右）。

注意 範囲選択の終点指示で🖱（右）すると文字も選択される。

3 コントロールバー「選択確定」を🖱。

4 コントロールバー「任意方向」を「X方向」に切り替える（または確認）。

5 マウスを移動して、複写先の任意位置を🖱。「／」コマンドを🖱して確定する。

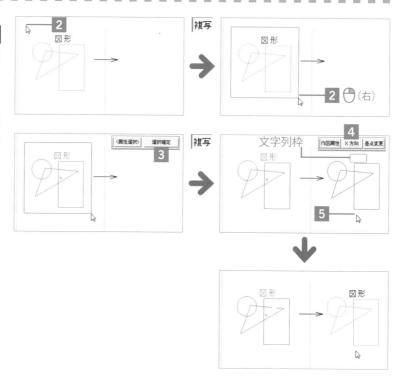

(2) 「範囲」「複写」図形と文字を使う

前項（1）と同様、図形と文字をすべて一括して複写しますが、複写する図形と文字を「範囲」コマンドで選択してから複写する方法で行います。

1 「範囲」コマンド。

2 図形および文字をすべて範囲選択する。終点指示は🖰（右）。

3 「複写」コマンド。

4 コントロールバー「任意方向」を「X方向」に切り替える（または確認）。

5 マウスを移動して、複写先の任意位置を🖰。「／」コマンドを🖰して確定する。

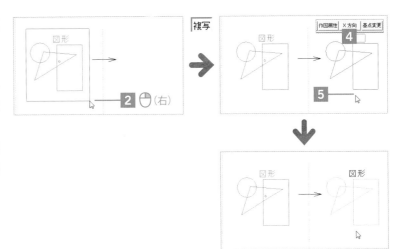

基本ドリル 12-03

「12-03」では、作図済みの線（図形）と文字（寸法値も含む）を移動します。「図形移動（移動）」「範囲」コマンドを使います。

なお、「移動」の機能は元図が消えるだけで基本的な操作方法は「複写」と同じです。

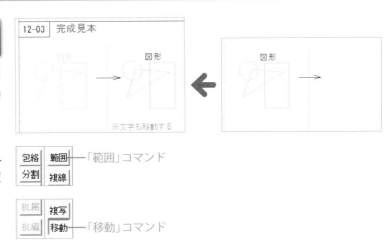

---

(1) 「移動」図形と文字を使う

図形と文字を一括して移動します。

1 「移動」コマンド。

2 ここでは3つの図形と文字を一括で移動するので、それらをすべて包含するように範囲指定する。終点指示は🖰（右）。

3 コントロールバー「選択確定」ボタンを🖰。

4 コントロールバー「任意方向」を「X方向」に切り替える（または確認）。

5 マウスを移動して、移動先の任意位置を🖰。「／」コマンドを🖰して確定する。

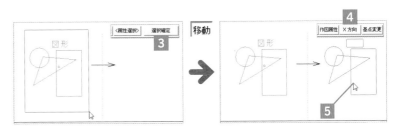

図のように、元図が消えて複写
（つまり移動）されました。

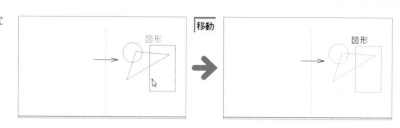

（2）「範囲」「移動」図形と文字を使う

前項（1）と同様、図形と文字を一括して移動しますが、移動する図形と文字を「範囲」コマンドで選択してから移動する方法で行います。

1 「範囲」コマンド。

2 図形および文字をすべて範囲選択する。終点指示は🖱（右）。

3 「移動」コマンド。

4 コントロールバー「任意方向」を「X方向」に切り替える（または確認）。

5 マウスを移動して、移動先の任意位置を🖱。「／」コマンドを🖱して確定する。

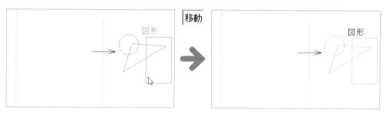

図のように、元図が消えて複写
（つまり移動）されました。

基本ドリル 12-04

「12-04」では、反転複写を行います。

「複写」「範囲」コマンドを使います。

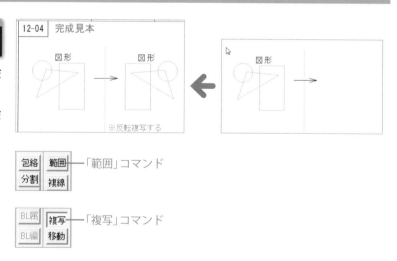

(1) 「複写」反転を使う

図形と文字を、基準線を軸として反転(線対称)複写させます。

1 「複写」コマンド。

2 ここでは3つの図形および文字を一括で複写するので、それらをすべて包含するように範囲指定する。終点指示は🖱(右)。

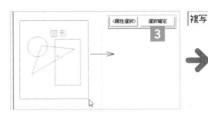

3 コントロールバー「選択確定」ボタンを🖱。

4 コントロールバー「反転」ボタンを🖱。

5 反転(線対称)の軸とする基準線として、図の垂直線(点線)を🖱。「/」コマンドを🖱して確定する。

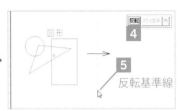

注意 反転複写は基準線を指示した段階で複写先が決まるので、複写先の指示は不要となる。

注意 文字は反転されない。

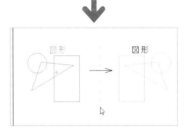

(2) 「範囲」「複写」反転を使う

前項(1)と同様に図形と文字の反転(線対称)複写を行います。

ここでは、複写する図形と文字を「範囲」コマンドで選択してから複写する方法で行います。

1 「範囲」コマンド。

2 ここでは3つの図形および文字を一括で複写するので、それらをすべて包含するように範囲指定する。終点指示は🖱(右)。

3 「複写」コマンド。

4 コントロールバー「反転」ボタンを🖱。

5 反転(線対称)の軸とする基準線として、図の垂直線(点線)を🖱。「/」コマンドを🖱して確定する。

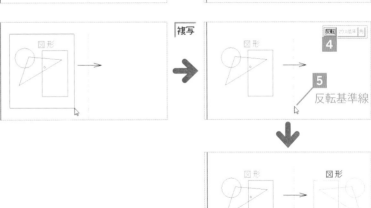

基本ドリル **12-05**

「12-05」では、回転複写や倍率
（拡大・縮小）複写を行います。
「複写」コマンドを使います。

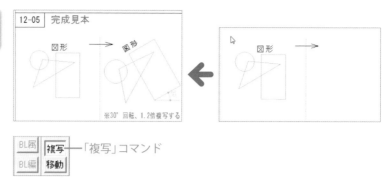

「複写」回転角、倍率を使う

図形と文字を角度や倍率を指定し
て、回転複写させます。

1 「複写」コマンド。

2 3つの図形および文字をすべて
　包含するように範囲指定する。
　終点指示は🖱（右）。

3 コントロールバー「選択確定」
　ボタンを🖱。

4 コントロールバー「倍率」に
　「1.2 , 1.2」（「1.2」と入力しただ
　けでもOK）をキー入力する。

5 コントロールバー「回転角」に
　「30」をキー入力する（反時計
　回り指定）。

6 マウスを移動して、複写先の任
　意位置を🖱。「／」コマンドを🖱
　して確定する。

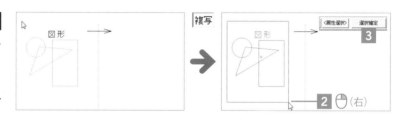

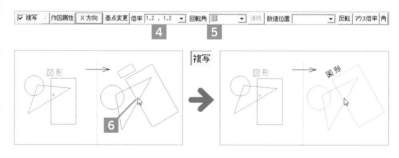

注意 文字は拡大・縮小されない。

基本ドリル **12-06**

「12-06」では、連続複写を行いま
す。連続複写とは、複写直後、1ク
リックで複写した図形を同じ条件
でさらに複写する機能です。
「複写」「範囲」コマンドを使いま
す。

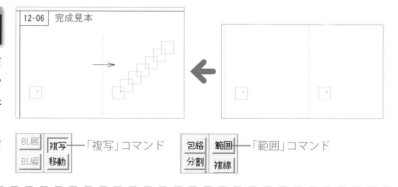

(1) 「複写」連続を使う

図形を1回複写し、直後の1クリックで複写した（複写先の）図形を同じ条件でさらに複写します。

1 「複写」コマンド。

2 連続複写する作図済みの正方形を範囲選択する。終点指示は🖱。

3 コントロールバー「基準点変更」ボタンを🖱し、作図済み正方形の左下頂点を基準点として🖱（右）。

4 コントロールバー「X方向」を「任意方向」に切り替える。

5 複写先として、作図済みの読取点を🖱（右）。

6 コントロールバー「連続」ボタンを🖱。

これで、図のように同じ図形が同じ条件で1つ複写されます。

7 コントロールバー「連続」ボタンの🖱を繰り返す。最後に「／」コマンドを🖱して確定する。

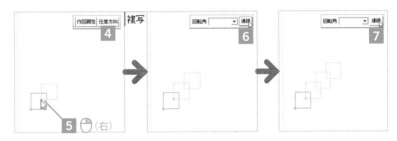

重要 建築図面では、同じ寸法の柱を等間隔で多数複写したりするときに便利な機能。

注意 ここでは作図済みの読取点が左下頂点になるように複写するので、基準点を左下に設定する。

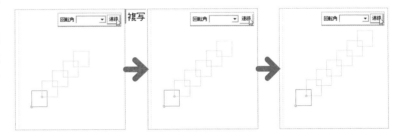

(2) 「範囲」「複写」連続を使う

ここでも前項（1）の連続複写を行いますが、複写元図形を「範囲」コマンドで選択します。基準点変更や連続複写の操作要領は（1）と同じです。

1 「範囲」コマンド。

2 連続複写する作図済みの正方形を範囲選択し、基準点を正方形の左下頂点に変更する。

3 「複写」コマンド。

4 正方形を1つ複写し、連続複写を繰り返す。最後に「／」コマンドを🖱して確定する。

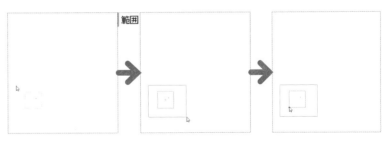

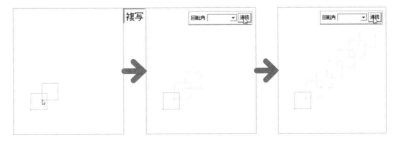

基本ドリル13では作図済みの線または文字の色や種類を変更する練習をします。基本的には、線は線属性、文字は文字種類で設定・変更しますが、その他にも「属変」コマンドを使う効率的な変更方法を覚えてください。

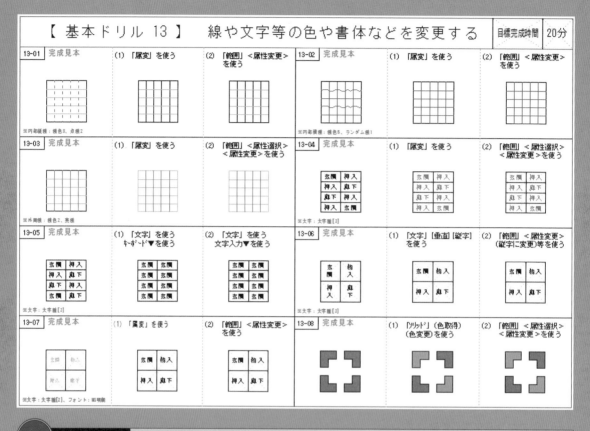

練習ファイル 「ドリル図面」フォルダ ▶「基本ドリル」フォルダ ▶「基本ドリル13.jww」

基本ドリル **13-01**

「13-01」では、作図済みの線の線属性（線の色と種類）を変更します。

「属性変更（属変）」「範囲」コマンドを使います。

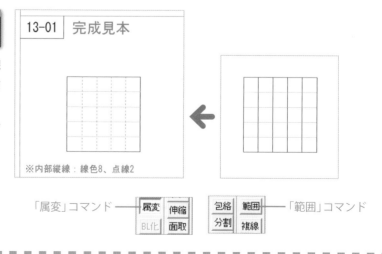

(1) 「属変」を使う

先に「線属性」コマンドで線属性を設定してから、「属変」コマンドで作図済みの線を1本ずつ指示して線属性を変更します。

1 画面右端にあるツールバーから「線属性」コマンドを🖱。

2 「線属性」ダイアログが開くので、「線色8」および「点線2」ボタンを🖱してチェックを付け、ボタンをくぼませる（ → p.94 ）。

3 「Ok」ボタンを🖱してダイアログを閉じる。

4 「属変」コマンド。

5 線属性を変更する線を🖱。

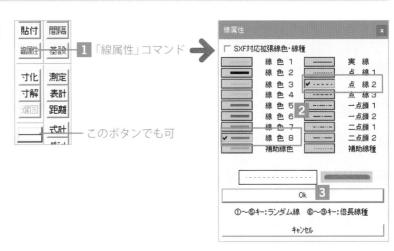

6 続けて、他の3本の垂直線の線属性も順次変更する。

(2) 「範囲」属性変更を使う

先に「範囲」コマンドで作図済みの複数の線を選択してから、「属性変更」モードで一括して線属性を変更します。

1 「範囲」コマンド。

2 線属性を変更するすべての線を図のように範囲選択する。

3 コントロールバー「属性変更」ボタンを🖱。

4 開くダイアログで「指定【線色】に変更」にチェックを付ける。

注意 チェックを付けるとダイアログが閉じ「線属性」ダイアログが開くので、ここでは「OK」ボタンを🖱しない。

5 「線属性」ダイアログで「線色8」を選択し、「Ok」ボタンを🖱。

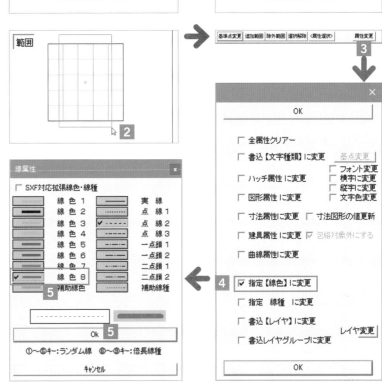

6 元のダイアログに戻るので、「指定 線種 に変更」にチェックを付ける。

7 「線属性」ダイアログが開くので「点線2」を選択（または確認）する。

8 「Ok」ボタンを🖱。

9 元のダイアログに戻るので、「OK」ボタンを🖱。

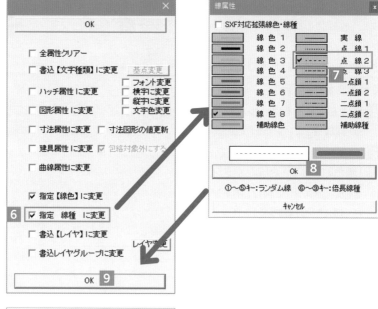

前項（1）と同じ結果になります。

基本ドリル **13-02**

「13-02」も、前項「13-01」と同様にして作図済みの線の種類をランダム線に変更します。操作要領は同様なので、解説は簡略化します。「属変」「範囲」コマンドを使います。

13-02 完成見本

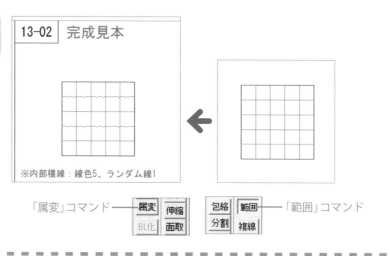

※内部横線：線色5、ランダム線1

「属変」コマンド —— | 属変 | 伸縮 | | 包絡 | 範囲 | —— 「範囲」コマンド
　　　　　　　　　 | BL化 | 面取 | | 分割 | 複線 |

(1) 「属変」を使う

先に「線属性」コマンドで線属性を設定してから、「属変」コマンドで作図済みの線を1本ずつ指示して「線色5」のランダム線に変更します。

1 「線属性」ダイアログで「線色5」を選択する。

2 続けて、キーボードの「1」キーを押す。

3 「Ok」ボタンを🖱。

4 「属変」コマンド。

5 線属性を変更する線を順次🖱。

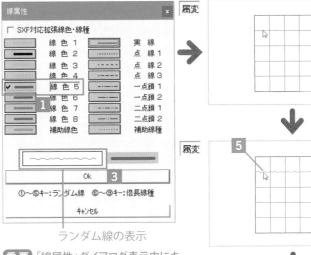

ランダム線の表示

重要 「線属性」ダイアログ表示中にキーボード上部の数字キー「1」～「5」を押すと、それぞれに割り当てられたランダム線①～⑤が線種として設定される。図のように、線種のボタンの選択が解除され、設定したランダム線の種類が下段左に表示される（「1」キーを押したので、ランダム線①）。

(2) 「範囲」属性変更を使う

先に「範囲」コマンドで作図済みの複数の線を選択してから、「属性変更」モードで「線色5」のランダム線に一括変更します。

1 「範囲」コマンド。

2 線属性を変更する線を図のように範囲選択する。

3 続けて、2つ下の線を🖱して変更対象に追加する。

重要 「範囲」コマンドで対象とする図形を追加選択する機能である。

4 コントロールバー「属性変更」ボタンを🖱。

5 開くダイアログで「指定 線種に変更」にチェックを付ける。

6 「線属性」ダイアログが開くが、前項（1）と同じランダム線①を指定するので、そのまま「Ok」ボタンを🖱。

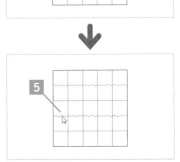

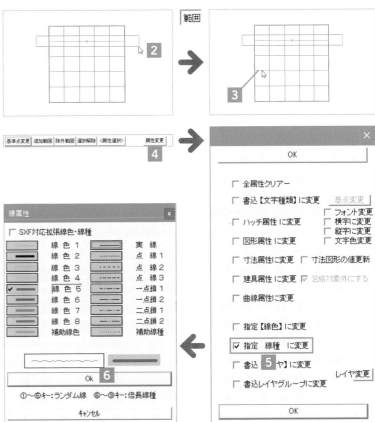

7 元のダイアログに戻るので、「OK」ボタンを🖱。

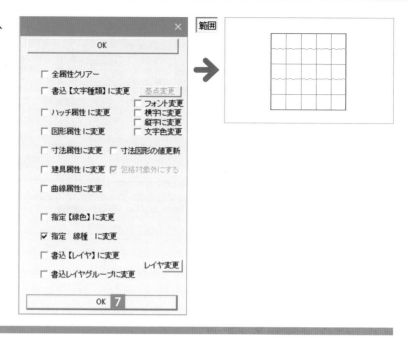

基本ドリル **13-03**

「13-03」では、作図済みの特定の線属性をもつ線を選択して線属性を変更します。
「属変」「範囲」コマンドを使います。

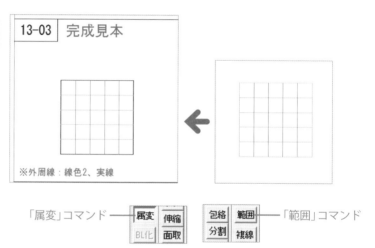

(1)「属変」を使う

ここでは前項までに解説した方法で、先に「線属性」コマンドで線属性を設定してから「属変」コマンドで作図済みの線の線属性を変更する方法を復習します。

1「線属性」ダイアログで、「線色2」「実線」を選択する。

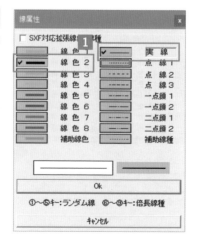

2 「属変」コマンド。

3 線属性を変更する線を順次🖰。

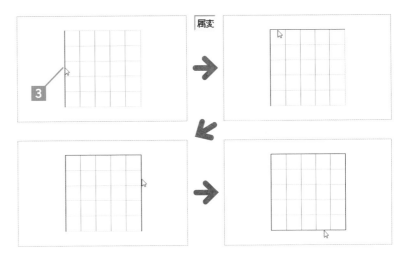

---

(2) 「範囲」属性選択・変更を使う

前項（1）と同じ処理を、「範囲」コマンドの「属性選択」および「属性変更」モードを併用して行う例を解説します。

1 「範囲」コマンド。

2 線属性を変更する線を含む図形全体を図のように範囲選択する。

3 コントロールバー「〈属性選択〉」ボタンを🖰。

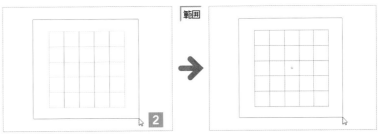

基準点変更　追加範囲　除外範囲　選択解除　〈属性選択〉　　属性変更

4 開くダイアログで「指定【線色】指定」にチェックを付ける。

5 「線属性」ダイアログが開くので、「線色4」「実線」を選択（または確認）し、「Ok」ボタンを🖰。

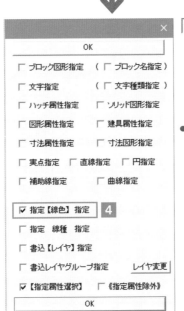

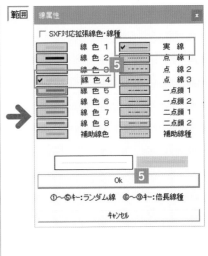

6 元のダイアログに戻るので、「OK」ボタンを🖱。

以上で、**5**で指定した「線色4」（黄緑色の実線）の外周4本の線が選択色のピンク色に変わります。

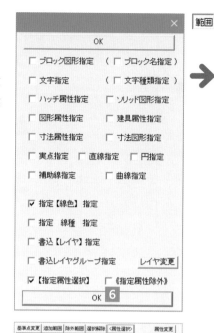

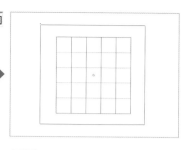

重要 **5**で指定した「線色4」（黄緑色の外周4本の線）が選択色のピンク色に変わる。

7 続けて、コントロールバー「属性変更」ボタンを🖱。

8 開くダイアログで「指定【線色】に変更」にチェックを付ける。

9 「線属性」ダイアログが開くので、「線色2」「実線」を選択（または確認）し、「Ok」ボタンを🖱。

10 **8**のダイアログに戻るので、「OK」ボタンを🖱。

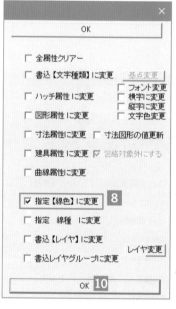

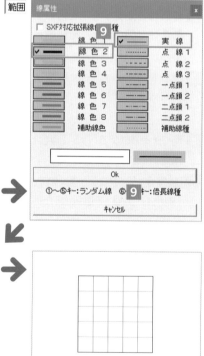

「13-04」では、記入済みの文字の色を変更します。文字の属性は「書込み文字種変更」ダイアログで設定します。

「属変」「範囲」コマンドを使います。

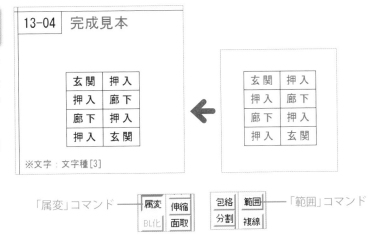

※文字：文字種[3]

「属変」コマンド ── 属変／伸縮／BL化／面取 ── 包絡／分割／範囲／複線 ──「範囲」コマンド

---

(1) 「属変」を使う

記入済みの複数の文字の色を変更します。ここでは、ピンク色の文字を「文字種3」（黒）に変更します。

1 「属変」コマンド。

2 コントロールバーの書込み文字種変更ボタンを🖐（➡ p.141）。

3 「書込み文字種変更」ダイアログが開くので、ここでは「文字種3」を選択する。

4 コントロールバーの「基点（左下）」ボタンを🖐（➡ p.142）。

5 「文字基点設定」ダイアログが開くので、ここでは「中中」を選択する。

注意 文字種や文字基点を選択するとただちにダイアログが閉じるので、「OK」ボタンを🖐する必要はない。

6 変更する文字（文字列）の任意の位置を🖐（右）。

7 続けて他の変更する文字（文字列）を順次🖐（右）。

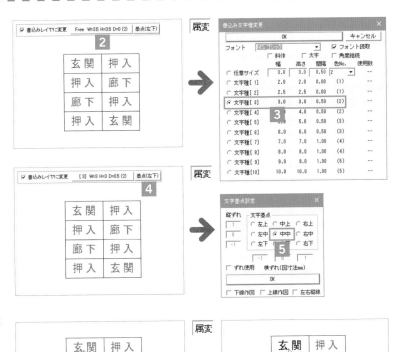

(2) 「範囲」属性選択・変更を使う

ここでは「範囲」コマンドの「属性選択」および「属性変更」モードを併用して文字色を一括変更します。

1 「範囲」コマンド。

2 色を変更するすべての文字を含むよう、図のように範囲選択する。終点は🖱(右)。

3 コントロールバー「<属性選択>」ボタンを🖱。

4 開くダイアログで「文字指定」にチェックを付ける。

5 「OK」ボタンを🖱。

6 コントロールバー「属性変更」ボタンを🖱。

7 開くダイアログで「文字色変更」にチェックを付ける。

注意 ただちにダイアログが閉じて **8** の「線属性」ダイアログが開くので、「OK」ボタンを🖱する必要はない。

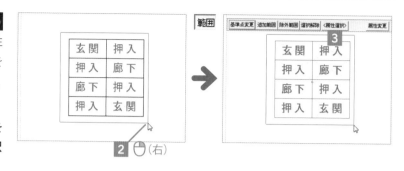

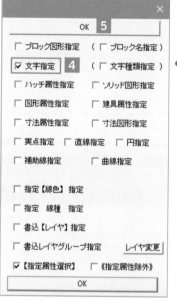

8 「線属性」ダイアログが開くので、「線色2」「実線」を選択(または確認)する。

9 「Ok」ボタンを🖱。

10 **7** のダイアログに戻るので「OK」ボタンを🖱。

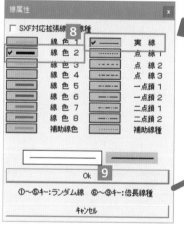

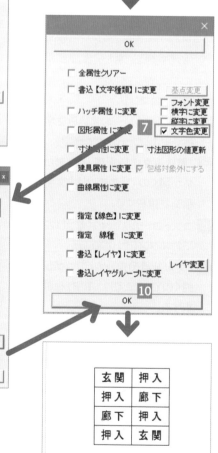

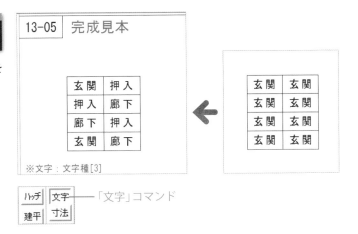

基本ドリル 13-05

「13-05」では、記入済みの文字を
変更します。
「文字」コマンドを使います。

13-05 完成見本

玄関	押入
押入	廊下
廊下	押入
玄関	廊下

※文字：文字種[3]

「文字」コマンド

---

(1) 「文字」キーボードを使う

記入済みの文字をキーボードの
キー入力で変更します。

1 「文字」コマンド。

2 コントロールバーの「基点（左下）」ボタンを🖱。

3 「文字基点設定」ダイアログが開くので、ここでは「中中」を選択する。

4 変更する文字を🖱。

5 「文字入力」ボックスが「文字変更・移動」ボックスに切り替わり、指示した文字列「玄関」が自動入力されるので、キー入力で「押入」に変更する。

6 図の作図済み補助線（2本の対角線）の交点を🖱（右）。

重要 交点の🖱（右）の代わりにキーボードの「Enter」キーを押してもよい。

7 他の文字も必要に応じて「押入」または「廊下」に順次変更する。

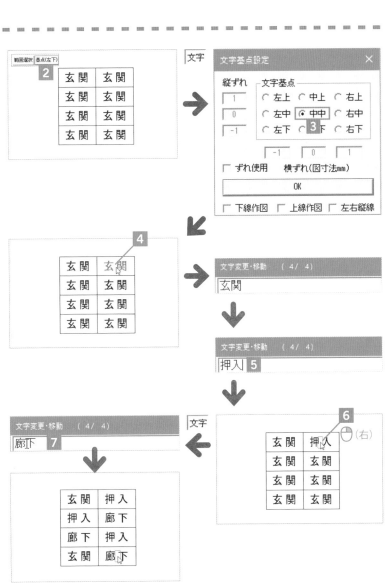

(2) 「文字」入力ボックスを使う

記入済みの文字を「文字入力」ボックスの履歴リストを利用して変更します。

1. 「文字」コマンド。
2. 変更する文字を🖰。
3. 「文字変更・移動」ボックスに「玄関」が自動入力されるので、ボックス右端の▼を🖰して入力履歴のリストを表示させ、「押入」を🖰。
4. 図の作図済み補助線（2本の対角線）の交点を🖰（右）。

[重要] 交点の🖰（右）の代わりにキーボードの「Enter」キーを押してもよい。

5. 他の文字も必要に応じてリストから選択し、順次変更する。

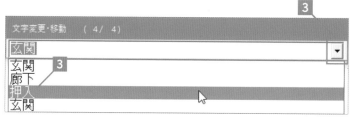

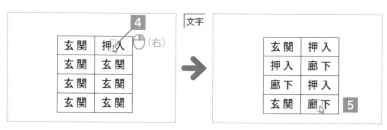

基本ドリル 13-06

「13-06」では、記入済みの横書文字を縦書文字（縦字）に変更します。
「文字」「範囲」コマンドを使います。

13-06　完成見本

| | ハッチ | 文字 |── 「文字」コマンド
| 建平 | 寸法 |

| 包絡 | 範囲 |── 「範囲」コマンド
| 分割 | 複線 |

---

(1) 「文字」垂直、縦字を使う

記入済みの横書文字を縦書文字に変更します。「文字」コマンドの「垂直」と「縦字」機能を使います。

1. 「文字」コマンド。
2. コントロールバーの書込み文字種変更ボタンを🖰し、開くダイアロで、「MSゴシック」「文字種3」を選択（または確認）する。

[注意] 先にフォントを選択しないとダイアログが閉じてしまうので注意。

3 変更する文字を🖰。

4 コントロールバーの「基点（左下）」を「基点（中中）」とし、「垂直」と「縦字」にチェックを付ける。

5 図の作図済み補助線（2本の対角線）の交点を🖰（右）。

重要 交点の🖰（右）の代わりにキーボードの「Enter」キーを押してもよい。

6 他の文字も同様にして、順次変更する。

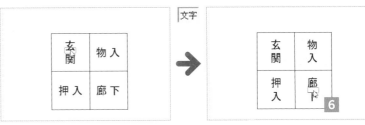

(2) 「範囲」属性変更「文字」を使う

記入済みの横書文字を縦書文字に変更します。「範囲」コマンドの「属性変更」機能と「文字」コマンドの角度指定を使います。

1 「範囲」コマンド。

2 変更する文字（文字列）全体を図のように範囲選択する。

3 コントロールバー「属性変更」ボタンを🖰。

4 開くダイアログで「縦字に変更」にチェックを付ける。

5 「OK」ボタンを🖰。

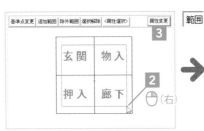

図のように、すべての文字（文字列）が一括して縦字に変更されます。さらに続けます。

6 「文字」コマンド。

7 変更する文字を🖰。

8 コントロールバー「基点（中中）」を確認（または変更）し、「角度」に「−90」をキー入力する。

注意 コントロールバー「縦字」には**4**の操作によりすでにチェックが付いている。

9 図の作図済み補助線（2本の対角線）の交点を🖰（右）。

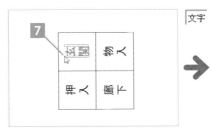

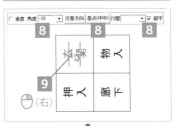

10 続けて、同様にして他の文字も図のように縦書文字に変更する。

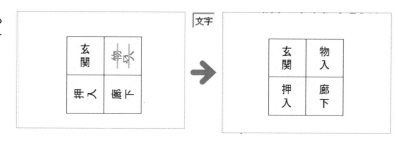

文字

基本ドリル 13-07

「13-07」では、記入済みの文字の文字種とフォントを変更します。「属変」「範囲」「文字」コマンドを使います。

13-07 完成見本

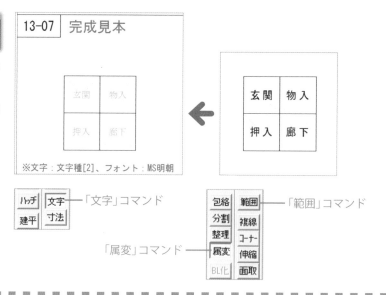

※文字：文字種[2]、フォント：MS明朝

| ハッチ | 文字 | ―「文字」コマンド |
| 建平 | 寸法 |

「属変」コマンド―

包絡	範囲	―「範囲」コマンド
分割	複線
整理	コーナー
属変	伸縮
BL化	面取

（1）「属変」を使う

記入済みの文字の文字種とフォントを「属変」コマンドで変更します。

1 「属変」コマンド。

2 コントロールバーの書込み文字種変更ボタンを🖱。

3 「書込み文字種変更」ダイアログが開くので、「フォント」ボックス右端の▼を🖱して「MS明朝」を選択し、さらに「文字種2」を選択する。

注意 先にフォントを選択しないとダイアログが閉じてしまうので注意。

属変

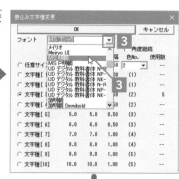

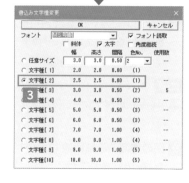

4 変更する文字を🖱(右)。

5 続けて、同様にして変更する文字を順次🖱(右)。

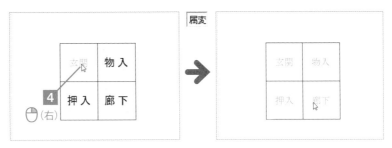

(2) 「範囲」属性変更を使う

記入済みの文字の文字種とフォントを「範囲」コマンドで変更します。

1 「範囲」コマンド。

2 変更する文字(文字列)全体を図のように範囲選択する。

3 コントロールバー「属性変更」ボタンを🖱。

4 開くダイアログで、「フォント変更」にチェックを付ける。

5 「書込み文字種変更」ダイアログが開くので、「フォント」ボックス右端の▼を🖱して「MS 明朝」を選択(または確認)し、「OK」ボタンを🖱。

6 元のダイアログに戻るので、「文字色変更」にチェックを付ける。

7 「線属性」ダイアログが開くので、「線色1」「実線」を選択(または確認)する。

8 「OK」ボタンを🖱。

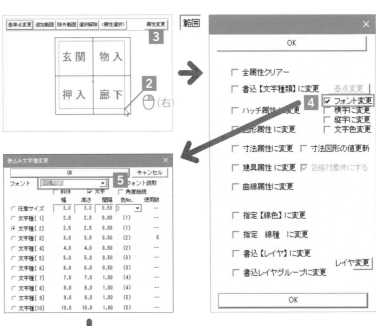

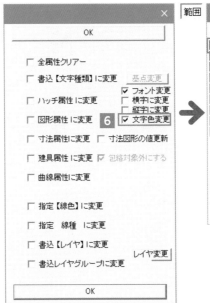

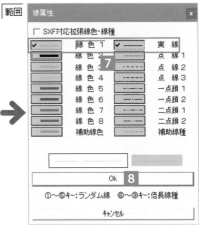

9 元のダイアログに戻るので「書込【文字種類】に変更」にチェックを付ける。

10 「書込み文字種変更」ダイアログが開くので、「文字種2」を選択（または確認）する。

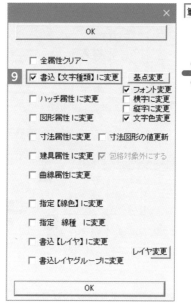

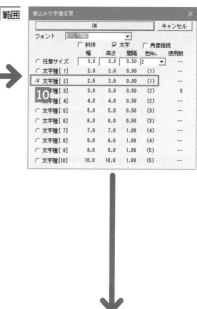

11 元のダイアログに戻るので「基点変更」ボタンを🖱。

12 開く「文字基点設定」ダイアログで「中中」を選択する。

13 11のダイアログに戻るので「OK」ボタンを🖱。

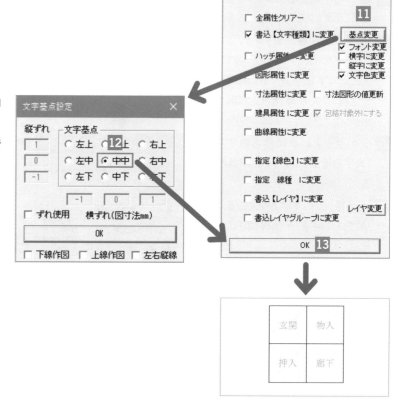

基本ドリル **13-08**

「13-08」では、作図済みの図形の
ソリッド色を取得→変更します。
「ソリッド」「範囲」コマンドを使いま
す。

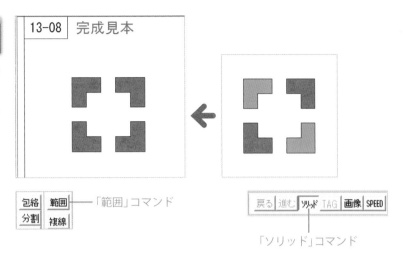

包絡	範囲
分割	複線

——「範囲」コマンド

戻る 進む ソリッド TAG 画像 SPEED

「ソリッド」コマンド

---

(1) 「ソリッド」色取得・変更を使う

作図済みの図形のソリッド色を取
得して、その色で他のソリッド色を
変更します。「ソリッド」コマンドを
使います。

1 「ソリッド」コマンド（➡p.10、95）。

2 まず作図済みのソリッド色を取
得するため、ステータスバーに
表示される指示メッセージに
従い、図示付近でキーボードの
「Shift」キーを押したまま
🖱（右）。

作図ウィンドウ左上に「色取得…」
と表示されればOKです。

3 変更するソリッド色の領域を指
示するため、ステータスバーに
表示される指示メッセージに
従い、図示付近で「Shift」キー
を押したまま🖱。

4 同様にして、右下の領域で
「Shift」キーを押したまま🖱。

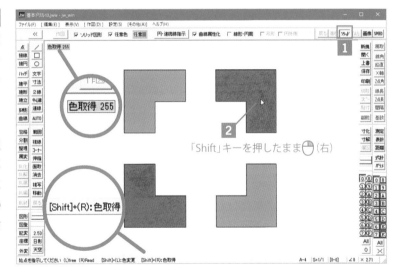

2 「Shift」キーを押したまま🖱（右）

色取得 255

[Shift]+(R):色取得

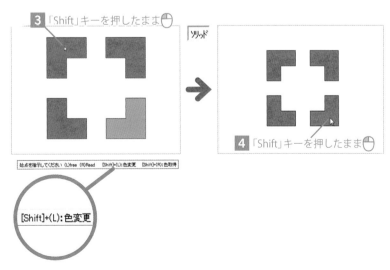

3 「Shift」キーを押したまま🖱

ソリッド

4 「Shift」キーを押したまま🖱

[Shift]+(L):色変更

（2）「範囲」属性選択・変更を使う

前項（1）と同じ処理を「範囲」コマンドで行います。

なお、ここではソリッド色を設定していませんが、Jw_cadの機能により、前項（1）で色取得した赤色が有効のまま作図します。

1 「範囲」コマンド。

2 図のように範囲選択する。

3 コントロールバー「＜属性選択＞」ボタンを🖱。

4 開くダイアログで、「ソリッド図形指定」にチェックを付ける。

5 「OK」ボタンを🖱。

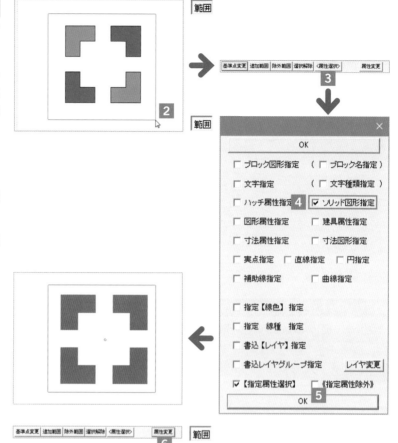

6 コントロールバー「属性変更」ボタンを🖱。

7 開くダイアログで、「指定【線色】に変更」にチェックを付ける。

8 「線属性」ダイアログが開くが、ここでは色の設定はしないので、そのまま「Ok」ボタンを🖱。

重要 先に取得した色（赤）に変更される。

9 **7**のダイアログに戻るので「OK」ボタンを🖱。

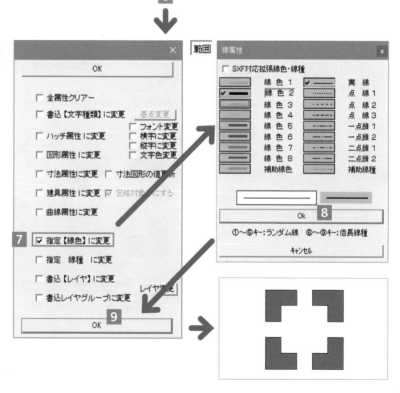

Part 2
基本ドリル　平面図 ▶ 立面図

ここでかく建築図面 198

平面図 01 | 通り芯をかく 200
02 | 柱をかく 204
03 | 開口部をかく 207
04 | 壁をかく 216
05 | 見えがかり線などをかく 222
06 | 室名、寸法、記号などをかく 227
07 | 階段をかく 233
立面図 01 | 立面図の窓をかく 234
02 | 立面図の屋根をかく 237

Part 2では簡単な建築図面をいろいろな方法でかいていきます。Part 2で新しく学ぶ操作方法は解説していますが、Part 1で学んだ操作方法の解説は簡略化または割愛しているので、適宜Part 1の該当項目を復習してください。

Part 2でも、付録CDからJwwフォルダにコピーした練習ファイル（以降「練習ファイル」 ➡ p.12）を利用します。環境設定やレイヤ設定などを済ませたファイルとなっているので、各項目用の練習ファイルを開いて学習を始めてください。

平面図の完成見本

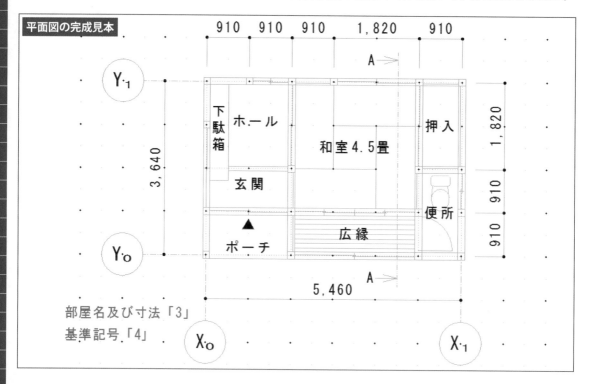

部屋名及び寸法「3」
基準記号「4」

立面図の完成見本

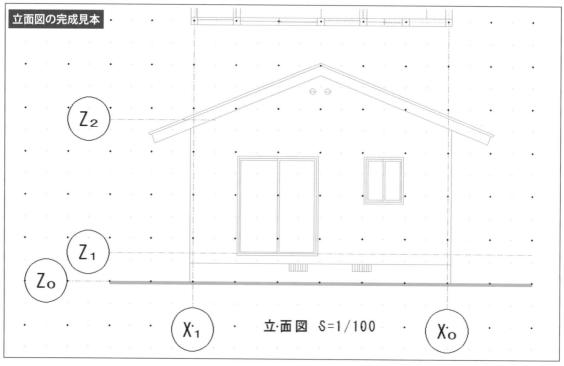

立・面図　S=1/100

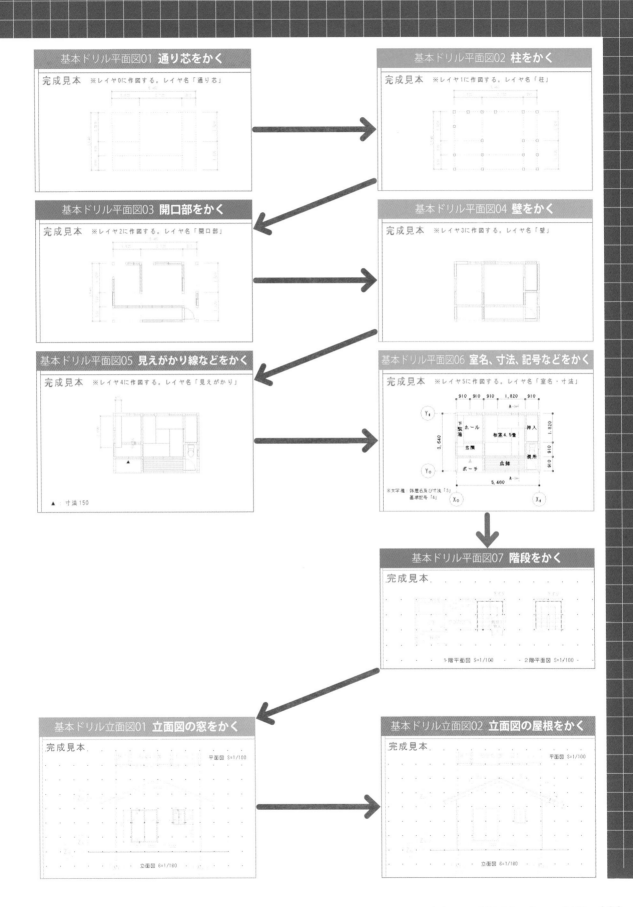

基本ドリル平面図01 通り芯をかく

まず平面図をかいていきます。「基本ドリル 平面図01 通り芯をかく」では通り芯（基準線）をかきます。練習ファイル「基本ドリル平面図01.jww」の完成見本の寸法は作図参照用です。練習ファイル「基本ドリル平面図01.jww」を開いて作図を開始してください。

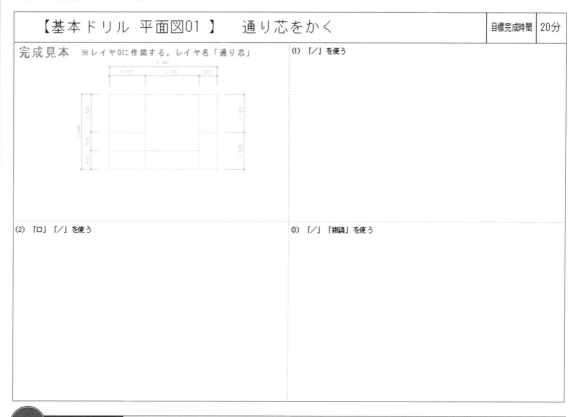

練習ファイル　「ドリル図面」フォルダ ► 「基本ドリル建築図面」フォルダ ► 「基本ドリル平面図01.jww」

(1) 「／」を使う

◉ 通り芯は水平または垂直の直線で表現するので、「／」コマンドの「水平・垂直」モードでかくのが普通です。

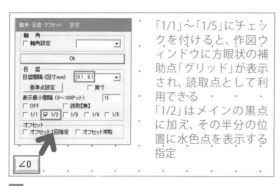

「1/1」～「1/5」にチェックを付けると、作図ウィンドウに方眼状の補助点「グリッド」が表示され、読取点として利用できる
「1/2」はメインの黒点に加え、その半分の位置に水色点を表示する指定

1 ステータスバーにある図のボタンを🖱して開く「軸角・目盛・オフセット 設定」ダイアログで、「目盛間隔」の「9.1,9.1」、「1/2」のチェックの2個所を確認する。

グリッド表示状態の印
設定したレイヤ名

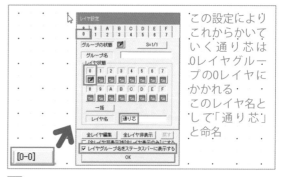

この設定によりこれからかいていく通り芯は0レイヤグループの0レイヤにかかれる
このレイヤ名として「通り芯」と命名

2 ステータスバーにある図のボタンを🖱して開く「レイヤ設定」ダイアログで、レイヤグループタブの0と「レイヤ状態」の0（書込レイヤ）の選択、「レイヤグループ名をステータスバーに表示する」のチェックを確認し、「レイヤ名」に「通り芯」と入力する。

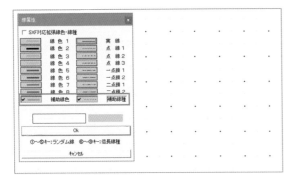

3 線属性を「補助線色」「補助線種」とする。

4 「／」コマンドの「水平・垂直」モードで、通り芯Y₁とする水平線を黒色グリッドを🖱(右)してかく。

 ➡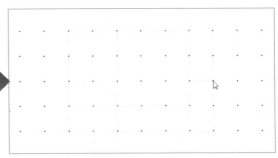

5 同様に、他の通り芯をすべてかく。

(2) 「□」「／」を使う

◉ 通り芯を「□」コマンドも使ってかく方法です。グリッド、レイヤ、線属性の設定は同じなので解説は割愛します。

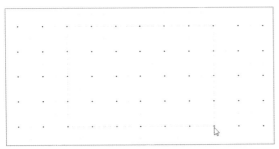

1 「□」コマンドで、通り芯の外周に該当する長方形を黒色グリッドを🖱(右)してかく。

2 「／」コマンドの「水平・垂直」モードで、内部の通り芯とする垂直線を黒色グリッドを🖱(右)してかく。

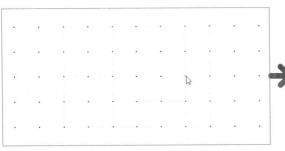 ➡

3 同様に、内部の他の通り芯をすべてかく。

(3) 「／」「複線」を使う

◉ 通り芯を「／」「複線」コマンドを使ってかく方法です。「／」コマンドによる線の作図方法は前項までと同様です。

1 「／」コマンドで、通り芯Y_1とする水平線をかく。

2 同様に通り芯X_0とする垂直線をかく。

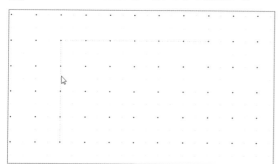

3 「複線」コマンドで、2でかいた通り芯X_0を複線する対象線とする。

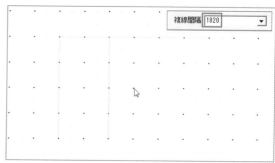

4 「複線間隔」を「1820」として右方向に複線する（ちなみに黒色グリッドの間隔は910、水色グリッドの間隔は455）。

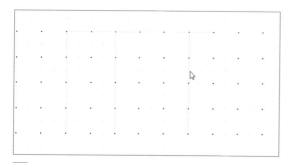

5 同様に4でかいた通り芯を右方向に2730で複線する。

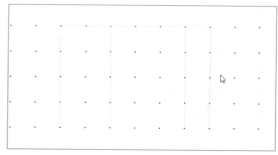

6 同様に5でかいた通り芯を右方向に910で複線する。

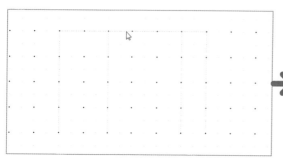

7 同様に1でかいた通り芯Y_1を下方向に3640で複線する。

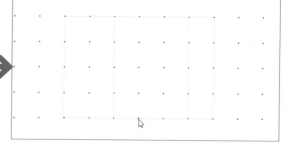

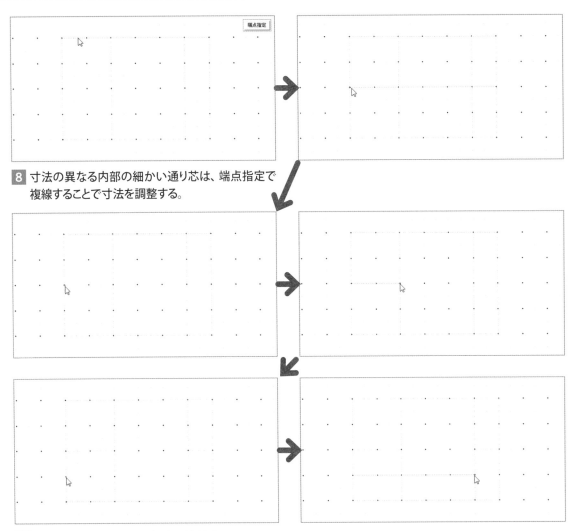

8 寸法の異なる内部の細かい通り芯は、端点指定で
複線することで寸法を調整する。

9 同様に他の通り芯を端点指定で複線する。

複雑な図形を「線記号変形」コマンドで簡単に作図

「線記号変形」コマンド（「その他」メニュー→「線記号変形」コマンドまたは
ツールバーの「記変」ボタン）を使えば、作図済みの線をJw_cadに標準添付
されている線記号（図形データ）の形状に置き換えることができます。ここで
は例として、階段の省略記号（ **➡ p.233** ）の作図に線記号変形の「幅
［1mm］」を使って置き換えます。

① 「線記号変形」（記変）を選択して開く「ファイル選択」ダイアログで、図の
「【線記号変形A】建築1」フォルダの「幅［1mm］」を🖱️🖱️して読み込む。

② 図の斜線を一度🖱️して線記号変形の対象にしてから、矢印先端を🖱️（右）。

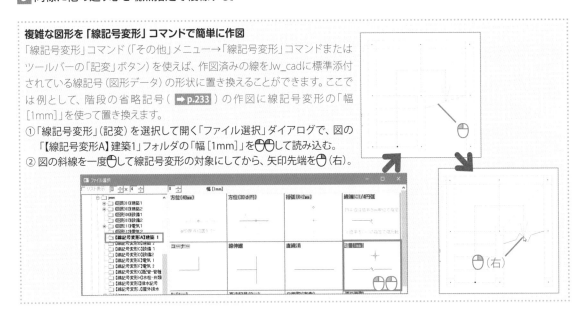

基本ドリル平面図02 柱をかく

「基本ドリル 平面図02 柱をかく」では柱をかきます。練習ファイル「基本ドリル平面図02.jww」を開いて作図を開始してください。なお、前項「基本ドリル平面図01 通り芯をかく」で解説したグリッドは、これ以降の練習ファイルでは設定済みです。

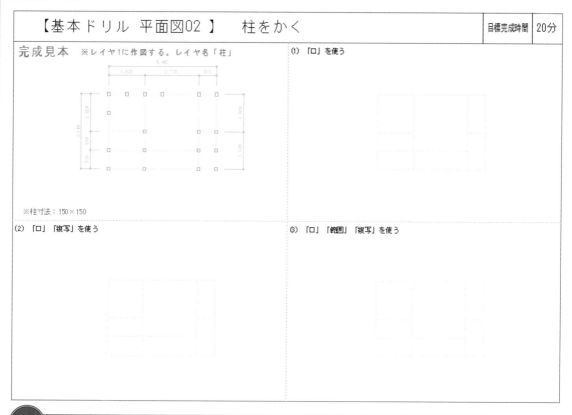

練習ファイル 「ドリル図面」フォルダ ▶ 「基本ドリル建築図面」フォルダ ▶ 「基本ドリル平面図02.jww」

(1) 「□」を使う

◉ 柱は正方形で表現するので、「□」コマンドでかくのが普通です。

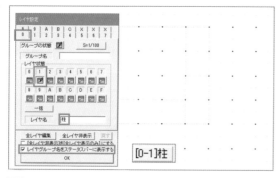

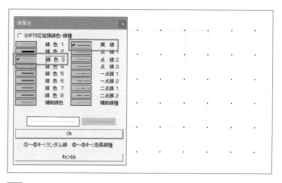

1 p.200と同様、レイヤグループタブの0、「レイヤ状態」の1（書込レイヤ）、「レイヤグループ名をステータスバーに表示する」のチェックの3個所を確認し、「レイヤ名」に「柱」と入力する。この設定で、これからかいていく柱は0レイヤグループの1レイヤ（レイヤ名「柱」）にかかれる。

2 線属性を「線色3」「実線」とする。

注意 0レイヤ「通り芯」を表示のみレイヤに設定してあるため、ここでは設定を変えない限り、それらの図を選択することはできない。

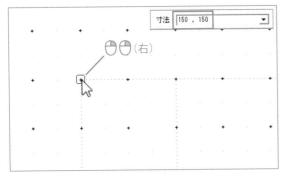

3 「□」コマンドで、「寸法」を「150,150」として、図の
位置を🖱🖱(右)して正方形をかく。

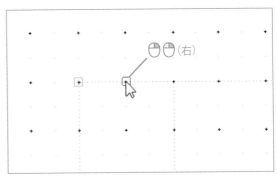

4 続けて、同様に図の位置に同じ正方形をかく。

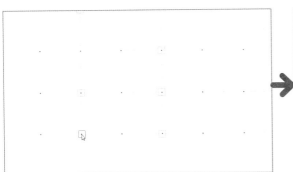

5 同様に、他の柱をすべてかく。

(2) 「□」「複写」を使う

柱を「□」コマンドで1つかいたら、他の柱は「複写」コマンドで複写します。

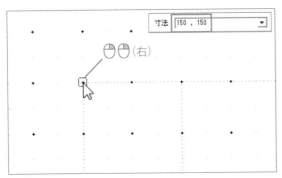

1 「□」コマンドで、「寸法」を「150,150」として、図の
位置を🖱🖱(右)して正方形をかく。

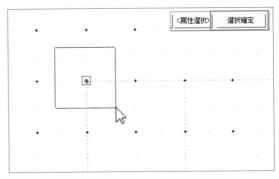

2 「複写」コマンドで、複写する柱を図のように範囲指
定し、コントロールバー「選択確定」ボタンを🖱。

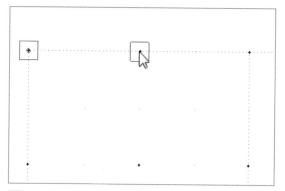

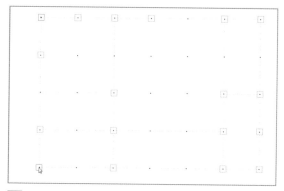

3 複写先として、図の黒色グリッドを🖱（右）。

4 続けて同様に、他の柱をすべて複写で配置する。

（3） 「□」「範囲」「複写」を使う

◉ 柱を1つかいて他の柱を複写することは前項（2）と同じですが、複写する柱を「範囲」コマンドで指定する方法です。選択後は、前項（2）と同様に「複写」コマンドに移行して複写します。

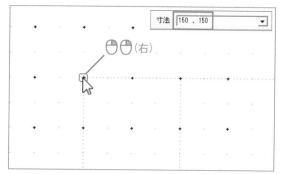

1 「□」コマンドで、「寸法」を「150,150」として、図の位置を🖱🖱（右）して正方形をかく。

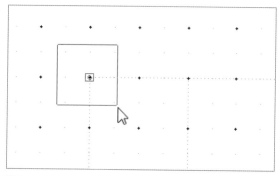

2 「範囲」コマンドで、複写する柱を図のように範囲指定する。

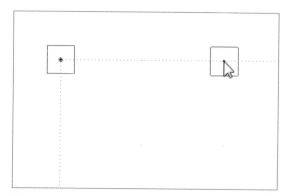

3 「複写」コマンドで、図の位置を🖱（右）。

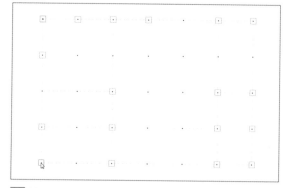

4 続けて同様に、他の柱をすべて複写で配置する。

「基本ドリル 平面図03 開口部をかく」では開口部をかきます。ここでは「建具平面」「図形登録」「図形」コマンドなどの新しいコマンドも使います。練習ファイル「基本ドリル平面図03.jww」を開いて作図を開始してください。

「建具平面」コマンド ── 建平 寸法
（「建平」コマンド）　　　建断 2線

「図形」コマンド ── 図形
「図形登録」コマンド ── 図登
（「図登」コマンド）

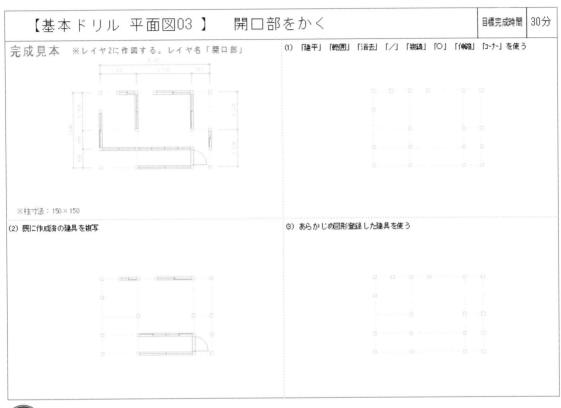

【基本ドリル 平面図03 】　開口部をかく　　目標完成時間 30分

完成見本　※レイヤ2に作図する。レイヤ名「開口部」

※柱寸法：150×150

(1) 「建平」「範囲」「消去」「／」「複線」「○」「伸縮」「コーナー」を使う

(2) 既に作成済の建具を複写

(3) あらかじめ図形登録した建具を使う

● 練習ファイル 「ドリル図面」フォルダ ▶「基本ドリル建築図面」フォルダ ▶「基本ドリル平面図03.jww」

（1）「建具平面」「範囲」「消去」「／」「複線」「○」「伸縮」「コーナー」を使う

◎ 建具は複雑な図形なので、「建具平面」コマンドを使いJw_cadに標準で添付されている既製の図形（建具）データを利用するのが普通です。そのうえで寸法や見かけの形状などが合わない場合は、「消去」「／」「複線」「伸縮」コマンドなどを使って加工します。このように建具の作図には多くのコマンドを使い分ける必要があります。

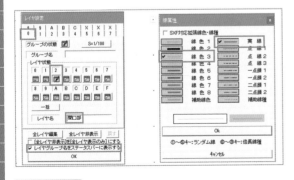

[0-2]開口部

1 p.200と同様、レイヤグループタブの0、「レイヤ状態」の2（書込レイヤ）、「レイヤグループ名をステータスバーに表示する」のチェックを確認し、「レイヤ名」に「開口部」と入力する。この設定で、これからかいていく開口部は0レイヤグループの2レイヤ（レイヤ名「開口部」）にかかれる。
線属性を「線色3」「実線」とする。

注意 0レイヤ「通り芯」と1レイヤ「柱」を表示のみレイヤに設定してあるため、ここでは設定を変えない限り、それらの図を選択することはできない。

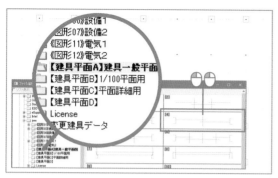

2 「建具平面」(建平)コマンドを🖱して開く「ファイル選択」ダイアログで、左側の「【建具平面A】建具一般平面図」フォルダを🖱し、建具図形「[4]」を🖱🖱。

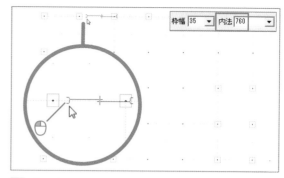

3 そのままでは寸法が合わないので、コントロールバー「内法」に「760」をキー入力してから建具を配置する対象線として図の位置の水平線を🖱する。建具図形[4](引き違い窓)が赤色で仮表示される。

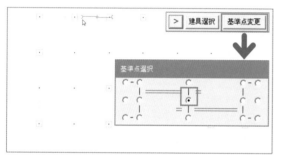

4 コントロールバー「基準点変更」ボタンを🖱して開く「基準点選択」ダイアログで、図の位置を🖱して選択する。

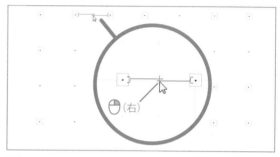

5 図の位置の水色グリッドを🖱(右)して配置を確定する。

◉ 建具両端のコの字の部分は、サッシの窓枠への取り付け構造部なので実際には見えない線です。そこで、図面上では消去します。

6 「範囲」コマンドで、まず左側部分を図のように選択する。

7 コントロールバー「追加範囲」ボタンを🖱してから、範囲選択の追加として右側部分を図のように選択する。

8 「消去」コマンドを選択するとただちに消去される。

◉ 建具を納めた開口部には壁や窓枠などの線があります。そこで、それらをかき加えます。

9 線属性を「線色1」「実線」とし、「／」コマンドの「水平・垂直」モードで、図のように柱の外部側の間に水平線（窓枠の線）をかく。

10 同様に、図のように柱の内部側の間に水平線をかく。

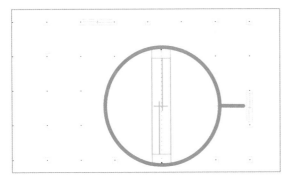

11 同じ寸法の同じ建具図形を、図の個所に同様に配置、加工する。

重要 建具配置の対象線として垂直線を指示すると、建具の向きも線に合わせて垂直になる。

◉ **11**までに作図した建具図形 [4]（引き違い窓）を、寸法を変えて別の個所に作図します。

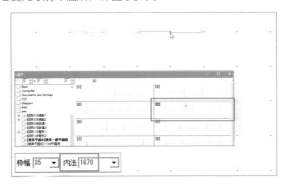

12 線属性を「線色3」「実線」とする。

13 **2**〜**5**と同様に、建具図形 [4]（引き違い窓）を、コントロールバー「内法」を「1670」にして、図の位置に配置する。

◎ 6 〜 10 と同様に、建具両端のコの字の部分の消去、および開口部への窓枠線のかき加えを行います。

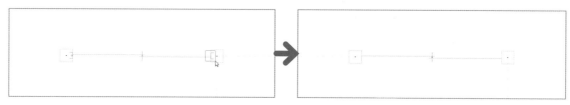

14 6 〜 8 と同様に建具両端のコの字の部分を消去する。

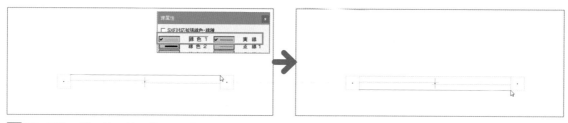

15 9 〜 10 と同様に線属性を「線色1」「実線」とし、窓枠の線をかく。

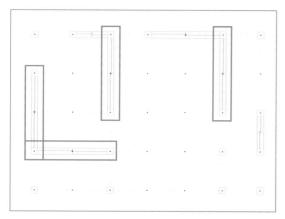

16 同じ寸法の同じ建具図形を、他の4個所に同様に配置して加工する。

◎ これまでと同様に、建具図形 [4]（引き違い窓）を内法寸法「2580」で別の個所に作図します。

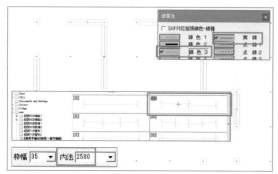

17 線属性を「線色3」「実線」とし、建具図形 [4]（引き違い窓）をコントロールバー「内法」で「2580」とする。

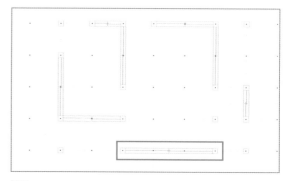

18 図の個所に配置して加工する。

● これまでと同様に、建具図形 [6]（四本引き違い窓）を内法寸法「2580」で別の個所に作図します。

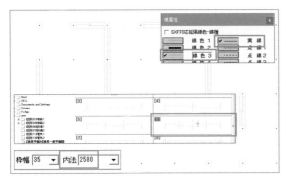

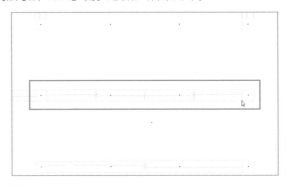

19 線属性を「線色3」「実線」とし、建具図形 [6]（引き違い窓）を読み込み、内法を「2580」とする。

20 図の個所に配置して加工する。

● 次に、建具をかいた **18** と **20** の右端柱間に片開き戸を入れます。Jw_cadの建具平面図形には適当な片開き戸がないので、ここでは「／」「○」コマンドなどで戸の線、開閉軌跡線をかいて、片開き戸の表現とします。

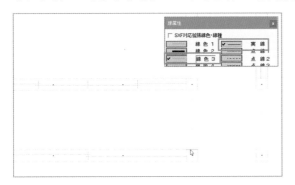

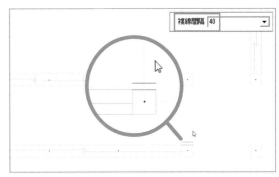

21 線属性を「線色3」「実線」とし、「複線」コマンドで図の柱上辺を🖱。

22 複線間隔「40」で上方に複線し、戸の位置の線とする。

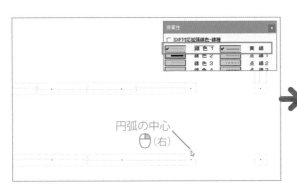

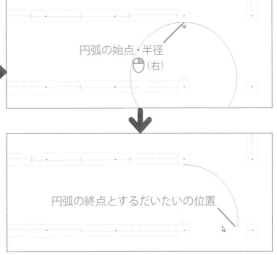

23 線属性を「線色1」「実線」とし、「○」コマンドの「円弧」モードで、中心→円弧の始点の順に図の位置を🖱（右）し、最後に円弧の終点として図の位置付近（正確な位置は次のステップで決めるため）を🖱。これが戸の開閉軌跡線となる。

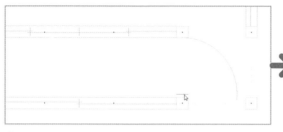

24 「コーナー」コマンドで、戸の位置の線と開閉軌跡線を順次指示し、図のようにつなぐ。

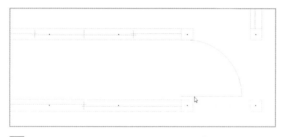

25 「伸縮」コマンドで、戸の位置の線を🖱。

26 図のように縮める（これが正しい位置関係）。

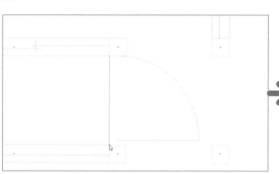

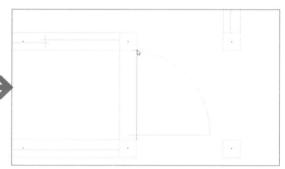

27 「／」コマンドで、戸枠の見えがかり線をかく。

（2）作図済みの建具図形を複写する

◉ ここでは、作図済みの建具図形を複写して作図する例を紹介します。まず、左下図の状態から開始します。

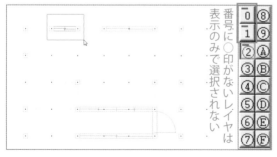

番号に○印がないレイヤは表示のみで選択されない。

1 「複写」コマンドで、図の建具を範囲選択する。

重要 「基本ドリル平面図03.jww」では、あらかじめ0レイヤ「通り芯」および1レイヤ「柱」を表示のみレイヤに設定してあるため、図のように囲んでも通り芯や柱は選択されない。

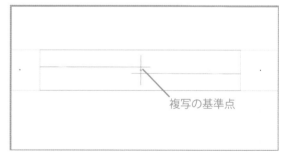

複写の基準点

2 複写の基準点（赤色の点）が建具の中心にあることを確認する。

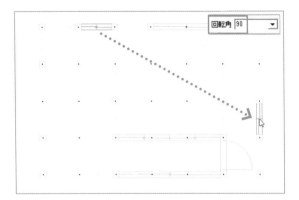

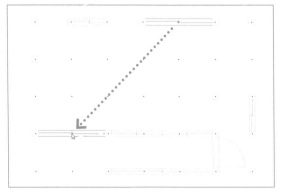

3 コントロールバー「回転角」に「90」をキー入力し、図の個所を🖱（右）して回転複写する。

4 同様に、図の建具も複写や回転複写で4個所に作図する。

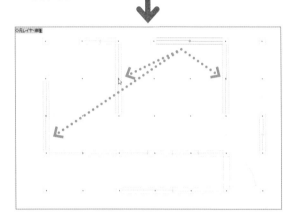

---

(3) 図形登録機能を利用して作図した建具図形を登録し、それを利用する

◉ ここでは、まず前項（1）または（2）で作図した建具図形を図形登録し、その登録した建具図形を利用して平面図に配置します。なお、付録CDに収録した「基本ドリル図形」フォルダ（ **➡ p.12** ）を、あらかじめJw_cadをインストールした「jww」フォルダ（ **➡ p.12** ）にコピーしておけば、ここでの **1** から **16** までの操作を省略できます。

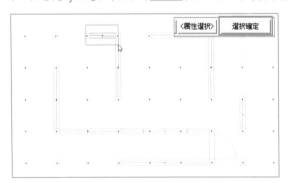

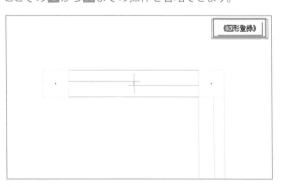

1 「図形登録」（図登）コマンドで（1）または（2）の図の建具を範囲選択し、コントロールバー「選択確定」ボタンを🖱。

2 コントロールバー「《図形登録》」ボタンを🖱。

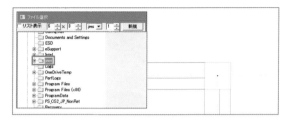

③ 「ファイル選択」ダイアログが開くので、選択した建具図形の登録先フォルダとして、Jw_cadをインストールした「jww」フォルダを🖱して選択し、「新規」ボタンを🖱。

④ 「新規作成」ダイアログが開くので、「新規」の「フォルダ」を選択し、「名前」ボックスに「基本ドリル図形」などとキー入力して「OK」ボタンを🖱。

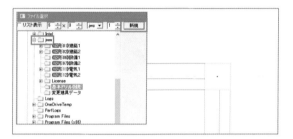

⑤ 「ファイル選択」ダイアログに戻るので、登録先フォルダができたことを確認し、続いて選択した建具図形をファイルとして登録するので、再び「新規」ボタンを🖱。

⑥ 「新規作成」ダイアログが開くので、「新規」の「ファイル」を選択し、「名前」ボックスに「引違い910」などとキー入力して「OK」ボタンを🖱。

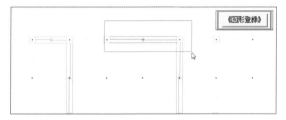

⑦ 同様に、図の建具図形も図形登録する。

⑧ 「引違い1820」などと入力して登録する。

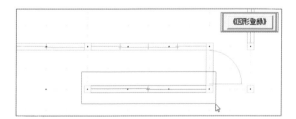

⑨ 同様に、図の建具図形も図形登録する。

⑩ 「引違い2730」などと入力して登録する。

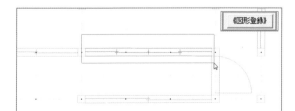

⑪ 同様に、図の建具図形も図形登録する。

⑫ 「四本引違い」などと入力して登録する。

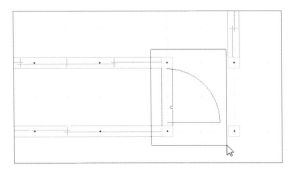

13 最後に片開き戸を範囲選択する。

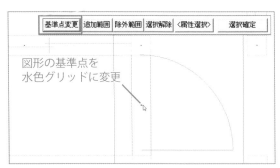

図形の基準点を
水色グリッドに変更

14 片開き戸は図形の基準点を図の位置に変更する。

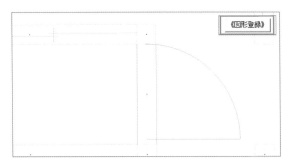

15 同様に、図形登録する。

16 「片開き910」などと入力して登録する。以上、5つの
建具図形の図形登録が完了した。

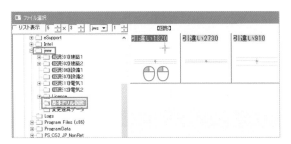

17 登録図形を配置する。「図形」コマンドを選択して開く
「ファイル選択」ダイアログで、「jww」フォルダの「基
本ドリル図形」フォルダを❶し、登録図形一覧から
ここでは例として「引違い1820」を❶❶。

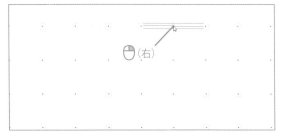

18 マウスポインタに表示される「引違い1820」を(3)
の図の目的の位置に移動し、❶(右)して配置する。
以下、他の建具図形も同様にして配置する。

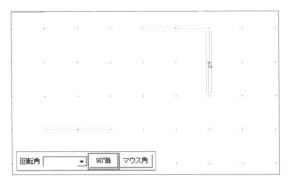

19 必要に応じてコントロールバー「90°毎」ボタンを❶
し、建具図形を正しく回転させてから配置する。

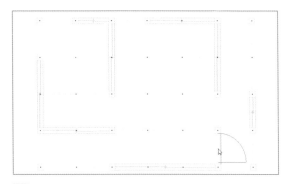

20 最後に「片開き910」を図の個所に配置する。
注意 登録した図形の基準点を適切に利用すること。

「基本ドリル 平面図04 壁をかく」では外壁および室内の壁をかきます。練習ファイル「基本ドリル平面図04.jww」を開いて作図を開始してください。

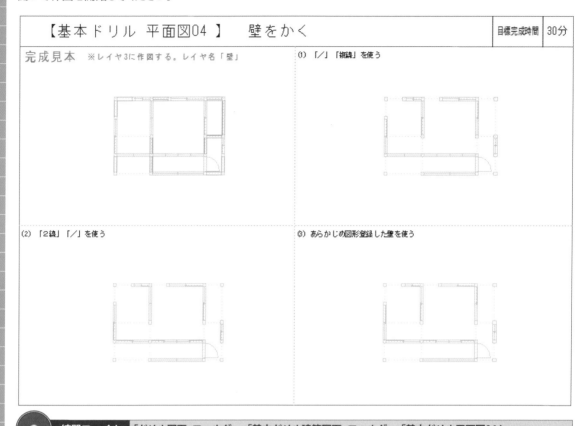

練習ファイル 「ドリル図面」フォルダ ▶「基本ドリル建築図面」フォルダ ▶「基本ドリル平面図04.jww」

(1) 「／」「複線」「複写」「伸縮」を使う

● 壁は、作図済みの開口部以外の柱間に2本の平行線をかいて表現するので「／」コマンドで簡単にかけますが、大壁と真壁をかき分ける場合は壁線を柱からずらす必要があるので、数値で位置を決められる「複線」コマンドも使います。

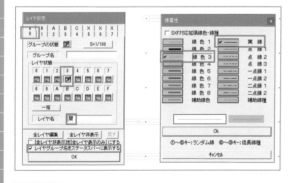

[0-3]壁

1 p.200と同様、レイヤグループタブの0、「レイヤ状態」の3（書込レイヤ）、「レイヤグループ名をステータスバーに表示する」のチェックの3個所を確認し、「レイヤ名」に「壁」と入力する。この設定で、これからかいていく壁は0レイヤグループの3レイヤ（レイヤ名「壁」）にかかれる。
線属性を「線色3」「実線」とする。

注意 0レイヤ「通り芯」、1レイヤ「柱」、2レイヤ「開口部」を表示のみレイヤに設定してあるため、ここでは設定を変えない限り、それらの図を選択することはできない。

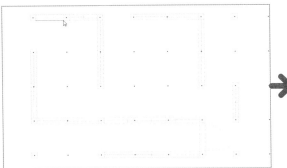

2 「／」コマンドの「水平・垂直」モードで、まず図の個所の柱間に2本の平行線（水平線）をかいて大壁とする。

複線間隔 110

3 ここは併用壁（大壁＋真壁）にするので、上（室外）側の線を「／」コマンドでかいたら、下（室内）側の線は「複線」コマンドで110下がった位置（室内側から見ると40下げた位置）に複線する。

線属性
☐ SXF対応拡張線色・線種
線色1　　　実線
線色2　　　点線1

4 続けて、線属性を「線色1」「実線」に切り替えてから、畳寄せの線を「／」コマンドでかく。

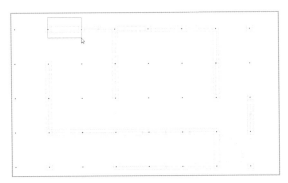

5 「複写」コマンドで、大壁を複写する。

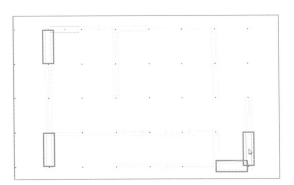

6 垂直方向の大壁は回転複写で作図する。

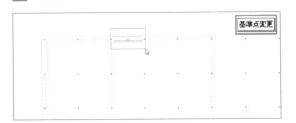

基準点変更

7 続けて併用壁を複写するので、図のように範囲選択して「基準点変更」を🖱する。

図形の基準点を水色グリッドに変更

8 複写の基準点がグリッドから少しずれているので、基準点を水色グリッドに設定し直す。

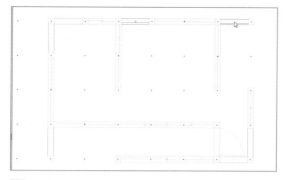

9 まず、図の個所に複写する。

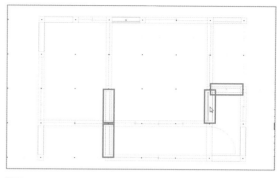

10 続けて、他のすべての個所に複写する。

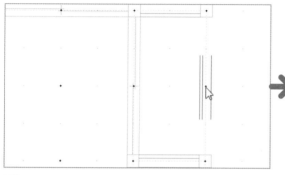

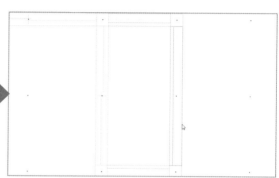

11 寸法の違う併用壁は、複写後に「伸縮」コマンドで
1本ずつ長くして正す。

(2) 「2線」「／」を使う

◉ ここでは「2線」コマンドを使って壁や畳寄せの線をかきます。2本の平行線の作図には「2線」コマンドが便利です。

1 線属性を「線色3」「実線」とし、「2線」コマンドで
「2線の間隔」から「75,75」を選択する。

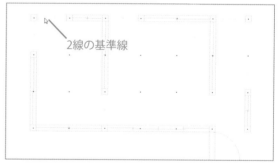

2 2線の基準線として、図の通り芯を🖰。

3 2線の始点として、図の柱の右下角を🖰（右）。

4 2線の終点として、図の柱の左下角を🖰（右）。

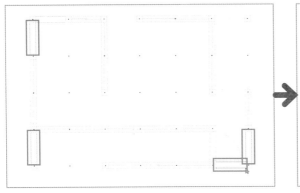 

5 同様に、他のすべての大壁を「2線」コマンドでかく。

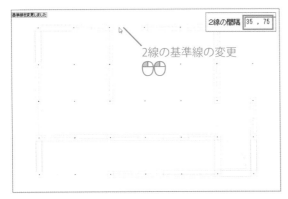

2線の基準線の変更

2線の間隔 `35 , 75`

6 併用壁は「2線の間隔」を「35,75」にしてかく。なお、2線作図モードが続いているため、2線の基準線指示は対象線の🖰🖰による「基準線変更」機能を使う。

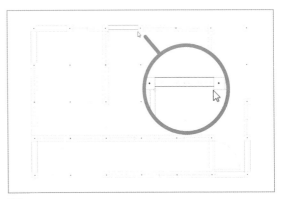

7 2線の始点→終点として、図の柱の角を順次🖰（右）。

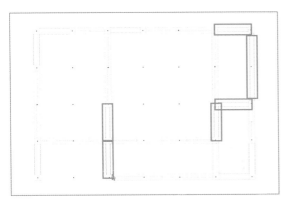

8 同様に、🖰🖰で2線の基準線を変更しながら、他のすべての併用壁をかく。

注意 左右振り分け寸法が異なる2線なので、目的と逆になる場合は「2線の間隔」に「75,35」とキー入力すればよい。

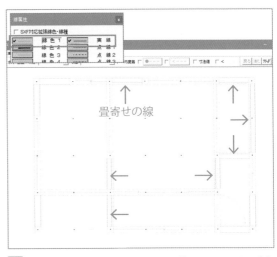

畳寄せの線

9 線属性を「線色1」「実線」とし、「／」コマンドの「水平・垂直」モードで、すべての畳寄せの線をかく。

(3) 図形登録機能を利用して作図した建具図形を登録し、それを利用する

ここでは前項 (1) または (2) で作図した壁を図形登録し、その登録した壁図形を利用して平面図に配置します。左下図の状態から図形登録を開始します。なお、付録CDに収録した「基本ドリル図形」フォルダ（ ➡p.12 ）を、あらかじめJw_cadをインストールした「jww」フォルダ（ ➡p.12 ）にコピーしておけば、**1**から**8**までの操作を省略できます。

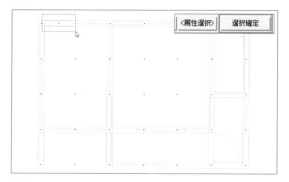

1 「図形登録」（図登）コマンドで (1) または (2) の図の大壁を範囲選択し、コントロールバー「選択確定」ボタンを🖱。

2 コントロールバー「《図形登録》」ボタンを🖱。

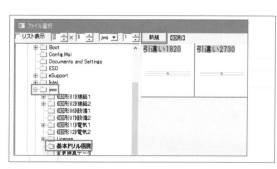

3 「ファイル選択」ダイアログが開くので、選択した大壁の登録先としてp.214で作成した「基本ドリル図形」フォルダを🖱して選択し、「新規」ボタンを🖱。

4 「新規作成」ダイアログが開くので、「新規」の「ファイル」を選択し、「名前」ボックスに「大壁910」などとキー入力して「OK」ボタンを🖱。

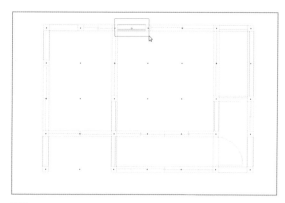

5 同様に、併用壁を範囲選択して図形登録する。

6 併用壁は、図形の基準点を変更してから「真壁910」という名前で登録する。

7 同様に、寸法の違う併用壁を範囲選択して図形登録する。

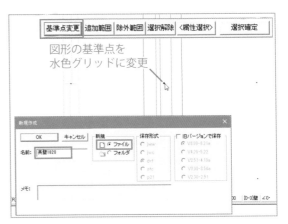

図形の基準点を
水色グリッドに変更

8 この併用壁も、図形の基準点を変更してから「真壁1820」という名前で登録する。

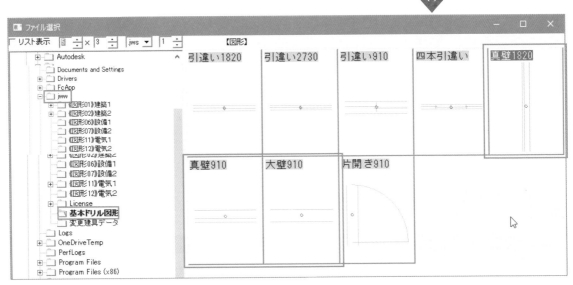

9 以上の結果、3つの建具図形の図形登録が完了した。

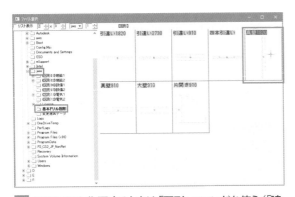

10 登録図形を作図するときは「図形」コマンドを使う(「建具平面」コマンドの場合(➡ p.208)と同様の要領)。

11 図は、「真壁1820」を読み込み、(3)の図の個所に配置した例。

注意 登録した図形の基準点を適切に利用すること。

見えがかり線などをかく

「基本ドリル 平面図05 見えがかり線などをかく」では畳や上がり框、備え付けの下駄箱、洋便器、出入口記号などの線やハッチ、ソリッドをかきます。練習ファイル「基本ドリル平面図05.jww」を開いて作図を開始してください。

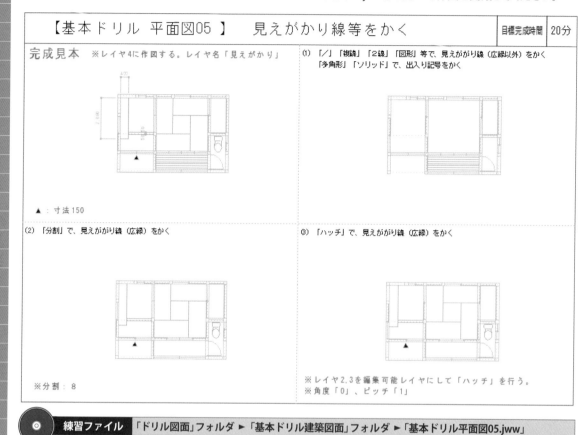

| 【基本ドリル 平面図05】　見えがかり線等をかく | 目標完成時間 | 20分 |

完成見本　※レイヤ4に作図する。レイヤ名「見えがかり」

▲：寸法150

(1)　「／」「複線」「2線」「図形」等で、見えがかり線（広線以外）をかく
　　「多角形」「ソリッド」で、出入り記号をかく

(2)　「分割」で、見えがかり線（広線）をかく

※分割：8

(3)　「ハッチ」で、見えがかり線（広線）をかく

※レイヤ2,3を編集可能レイヤにして「ハッチ」を行う。
※角度「0」、ピッチ「1」

◎ 練習ファイル　「ドリル図面」フォルダ ▶「基本ドリル建築図面」フォルダ ▶「基本ドリル平面図05.jww」

(1)　「／」「複線」「2線」「図形」「多角形」「ソリッド」を使う

◎ 前項までで図面の基本的な線や構造関係の線を作図したので、ここでは室内の細かい線をかきます。本書はあくまで基本作図の学習書なので、実際の図面ではかくべき要素のいくつかは割愛しています。

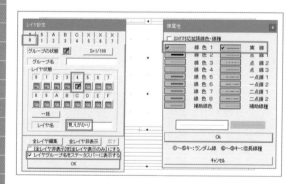

[0-4]見えがかり

1 p.200と同様、レイヤグループタブの0、「レイヤ状態」の4（書込レイヤ）、「レイヤグループ名をステータスバーに表示する」のチェックを確認し、「レイヤ名」に「見えがかり」と入力する。この設定で、これからかいていく図は0レイヤグループの4レイヤ（レイヤ名「見えがかり」）にかかれる。
線属性を「線色1」「実線」とする。

注意 0レイヤ「通り芯」、1レイヤ「柱」、2レイヤ「開口部」、3レイヤ「壁」を表示のみレイヤに設定してあるため、ここでは設定を変えない限り、それらの図を選択することはできない。

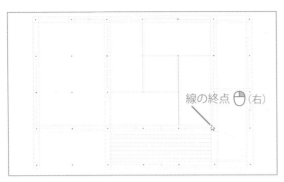

線の終点 🖱 (右)

2 「／」コマンドの「水平・垂直」モードで、図のように4畳半の和室に畳の境界線を4本かく。

重要 線の終点に読取点がない場合、図のように同じ水平位置または垂直位置にある周囲の柱の角などを利用する。

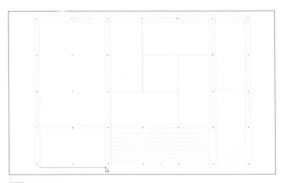

3 玄関ポーチの仕切り線をかく。

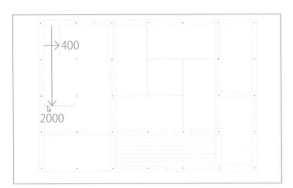

→400

2000

4 下駄箱の線を2本で表現するが、読取点がないので、内壁の線を室内側に複線する。

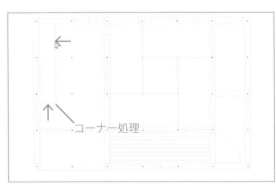

コーナー処理

5 **4** でかいた2本の線をコーナー処理して角に整形する。

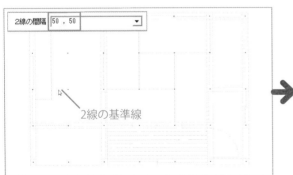

2線の間隔 50 , 50

2線の基準線

6 「2線」コマンドで、「2線の間隔」を「50,50」にして、上がり框の線をかく。

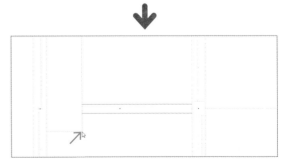

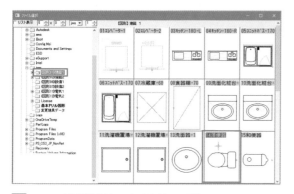

チェックを付けると洋便器の線色が現在の線色に自動変更される

7 Jw_cad標準添付の図形を使って洋便器をかくので、「図形」コマンドで、「《図形01》建築1」フォルダから「14洋便器」を読み込む。

8 コントロールバー「作図属性」ボタンを🖰して開く「作図属性設定」ダイアログで、「●書込み【線色】で作図」にチェックを付ける。

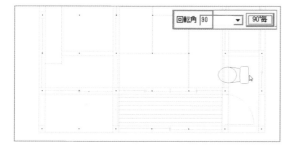

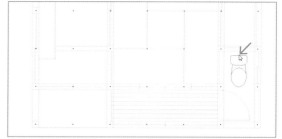

9 赤色の仮の洋便器が表示されるが、向きが合わないので、コントロールバー「回転角」に「90」をキー入力（または「90°毎」ボタンを🖰）する。

10 図示付近の適当な位置で🖰。

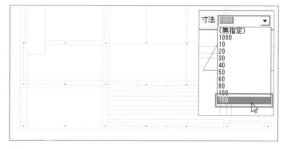

11 出入口記号を正三角形で表現するので、「多角形」コマンドで、コントロールバー「角数」から「3」を選択する。

12 コントロールバー「寸法」に「150」をキー入力（または履歴リストから選択）する。

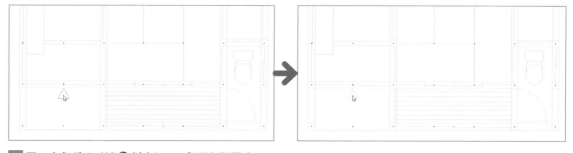

13 図の水色グリッドを🖰（右）して三角形を配置する。

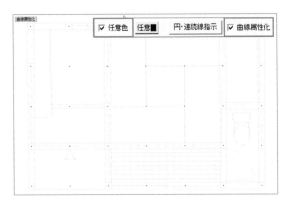

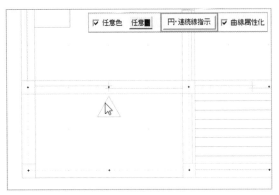

14 **13**でかいた出入口記号をソリッド着色する。「ソリッド」コマンドで、コントロールバー「任意色」と「曲線属性化」にチェックを付け、色は黒（「任意■」）とする。

15 コントロールバー「円・連続線指示」ボタンを🖱してから出入口記号の三角形の任意の辺を🖱。

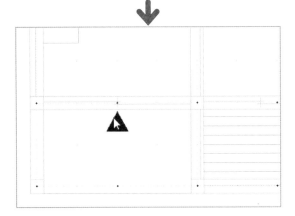

(2) 「分割」で見えがかり線の広縁をかく

◉ ここでは、前項では作図済みだった広縁を「分割」コマンドでかきます。

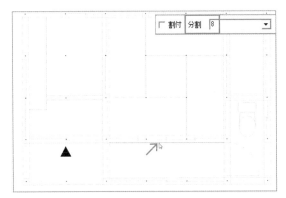

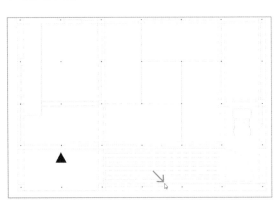

1 「分割」コマンドで、コントロールバー「等距離分割」を選択し、「分割数」は「8」として、1本目の対象線を🖱。

2 2本目の対象線を🖱。

(3) 「ハッチ」で見えがかり線の広縁をかく

◉ ここでは、広縁を「ハッチング（ハッチ）」コマンドでかきます。2レイヤ「開口部」、3レイヤ「壁」を編集可能レイヤにします。

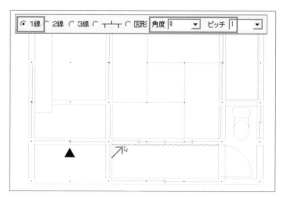

1 「ハッチング（ハッチ）」コマンドで、コントロールバー「1線」を選択し、「角度」は「0」、「ピッチ」は「1」として、最初の対象線を🖱。

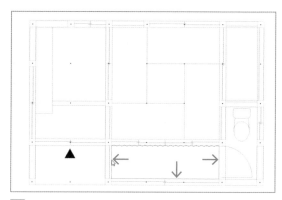

2 1周回って最後の対象線を🖱。

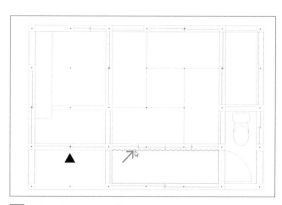

3 最初の線に戻って🖱。

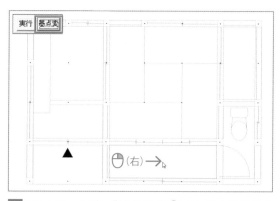

4 コントロールバー「基点変」を🖱して、基点を図の水色グリッドに設定する。

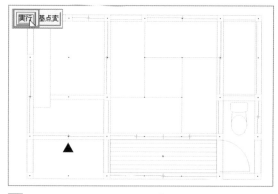

5 コントロールバー「実行」を🖱。

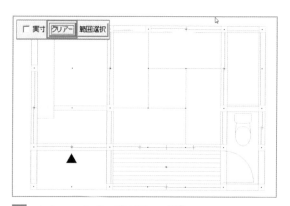

6 コントロールバー「クリアー」を🖱。

室名、寸法、記号などをかく

「基本ドリル 平面図06 室名、寸法、記号などをかく」では室名、寸法、基準線、基準記号、切断線などをかきます。
練習ファイル「基本ドリル平面図06.jww」を開いて作図を開始してください。

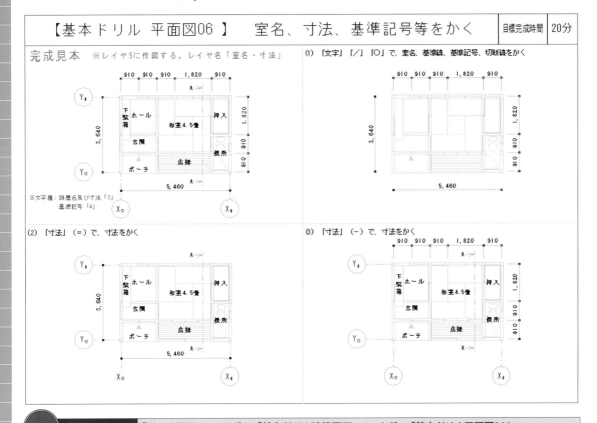

| 練習ファイル | 「ドリル図面」フォルダ ▶「基本ドリル建築図面」フォルダ ▶「基本ドリル平面図06.jww」 |

(1) 「文字」「／」「○」などで室名、基準線、基準記号、切断線などをかく

◉「文字」「／」「○」「範囲」「複写」コマンドを使い分けて、室名、基準線、基準記号、切断線などをかきます。

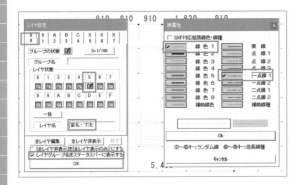

[0-5]室名・寸法

1 p.200と同様、レイヤグループタブの0、「レイヤ状態」の5（書込レイヤ）、「レイヤグループ名をステータスバーに表示する」のチェックを確認し、「レイヤ名」に「室名・寸法」と入力する。この設定で、これからかいていく図は0レイヤグループの5レイヤ（レイヤ名「室名・寸法」）にかかれる。
線属性を「線色1」「一点鎖1」とする。

注意 0レイヤ「通り芯」、1レイヤ「柱」、2レイヤ「開口部」、3レイヤ「壁」、4レイヤ「見えがかり」を表示のみレイヤに設定してあるため、ここでは設定を変えない限り、それらの図を選択することはできない。

◉ 基準線と基準記号をかきます。

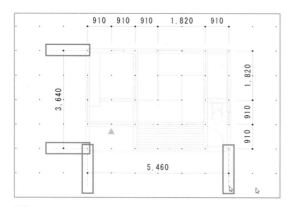

2 「／」コマンドの「水平・垂直」モードで、図のように4個所に、柱中心から寸法端点を通る基準線をかく。各線の終点は水色グリッドとする。

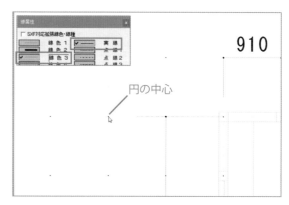

3 線属性を「線色3」「実線」に切り替えてから、「○」コマンドで、円の中心として図の黒色グリッドを🖱（右）。

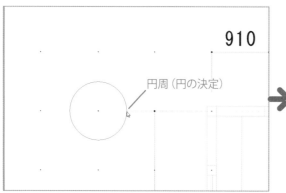

4 円周として、図の水色グリッドを🖱（右）して円をかく。

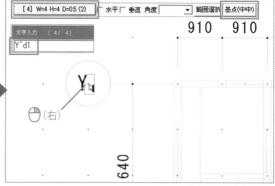

5 「文字」コマンドで、「文字種［4］」、フォント「MSゴシック」、基点「中中」にして、「文字入力」ボックスに「Y^d1」とキー入力し、文字記入位置として **4** でかいた円の中心を🖱（右）。

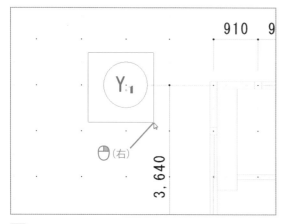

6 「範囲」コマンドで、**5** でかいた基準記号を選択する（範囲指定の終点は🖱（右））。

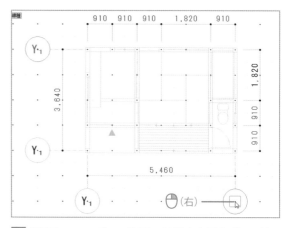

7 「複写」コマンドで、複写の基準点を黒色グリッドに変更してから、図のように3個所に複写する。

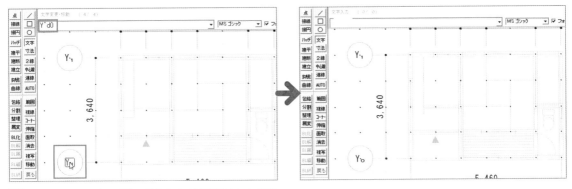

8 「文字」コマンドで、**7** で複写した基準記号の文字を「Y₁」から「Y₀」に正す。

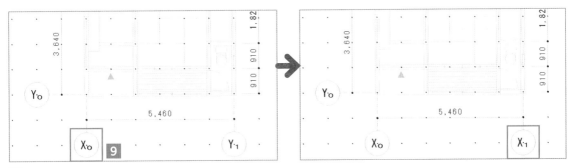

9 同様に、図の基準記号の文字を正す。

◉ 室名をかきます。

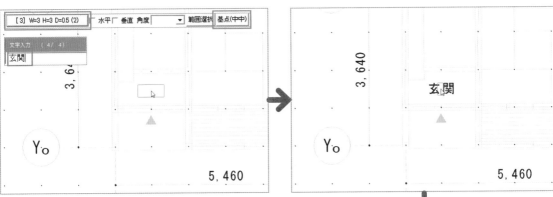

10 続けて、「文字種 [3]」、基点「中中」にして、「文字入力」ボックスに「玄関」とキー入力し、文字記入位置として玄関中心の水色グリッドを🖱（右）。同様に、他のすべての室名をかく。

◉ 切断線をかきます。建築物内部の立体的な構造や仕様を見る図面として建築物を立面方向に切断した断面図がありますが、切断線はその断面位置を平面図上の位置として示す線です。切断線に添える矢印線は断面を見ている方向、切断記号は複数の断面図をつくる場合の分類記号です。　※本書で断面図はかきません。

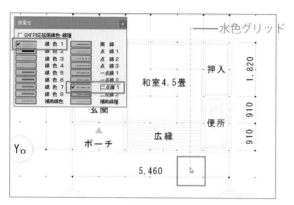

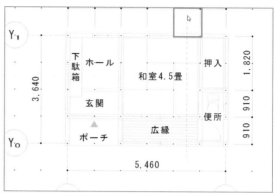

11 線属性を「線色1」「二点鎖1」に切り替え、「／」コマンドで、図の位置の水色グリッドから下方の寸法線付近まで垂直線をかく。

12 「伸縮」コマンドで、**11**でかいた垂直線の上端を少し上方に伸ばす。

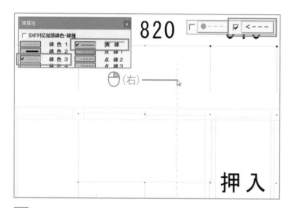

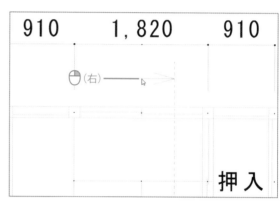

13 線属性を「線色3」「実線」に切り替え、「／」コマンドでコントロールバーの「水平・垂直」と図のボタンにチェックを付け（矢印線）、断面を見ている方向を示す矢印線の始点として図の位置の水色グリッドを🖱（右）。

14 矢印線の終点として図の位置の水色グリッドを🖱（右）。

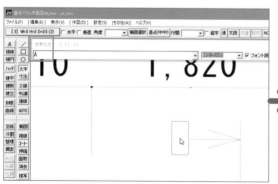

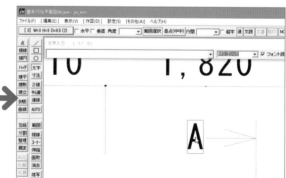

15 「文字」コマンドで、文字種［3］、基点「中中」で図示付近に、切断記号として「A」を記入する。

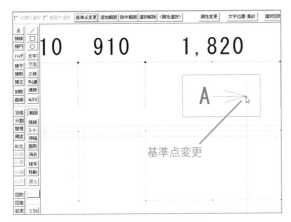

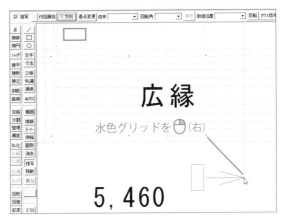

16 矢印線および切断記号は切断線下端にも添えるので、「範囲」コマンドで図のように範囲選択し、基準点を矢印線の右端に設定する。

17 「複写」コマンドで、切断線下端付近の水色グリッドに複写する。

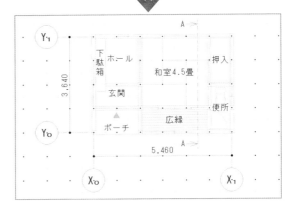

---

(2)　「寸法」の「＝」モードで寸法をかく

◉ 平面図の上辺と右辺に引出線のある寸法を記入します。なお、完成見本の下辺と左辺にはここではかかない引出線のない寸法が記入済みです。

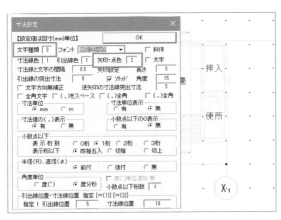

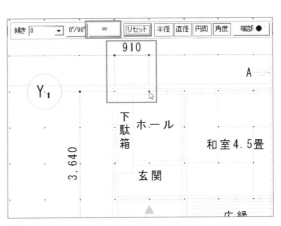

1 「寸法」コマンドで「寸法設定」ダイアログを開き、図の2個所を設定（または確認）する。

2 コントロールバーの図のボタンを「＝」に設定して、まず図の水平寸法を記入する。

注意 寸法は柱の中心でとること。

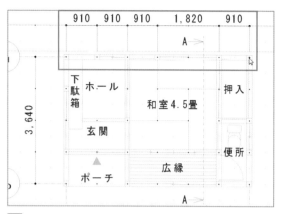

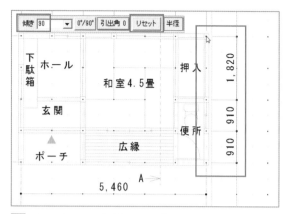

3 続けて、図のように連続寸法を記入する。

4 リセットしてから「傾き」を「90」にして、図のように垂直連続寸法を記入する。

(3) 「寸法」の「ー」モードで寸法をかく

◉ 平面図の下辺と左辺に引出線のない寸法を記入します。なお、完成見本の上辺と右辺には前項（2）でかいた引出線のある寸法が記入済みです。

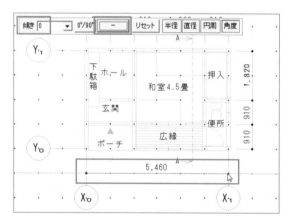

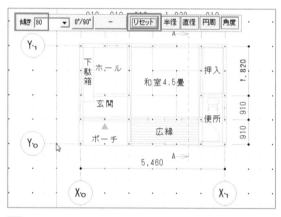

1 「寸法」コマンドで、コントロールバーの図のボタンを「ー」に設定して、「傾き」を「0」にして、まず図の水平寸法を記入する。

2 リセットしてから「傾き」を「90」にして、同様に、図のように垂直寸法を記入する。

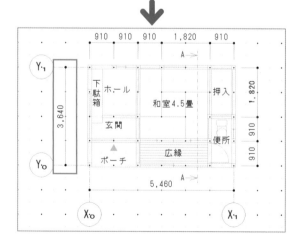

「基本ドリル 平面図07 階段をかく」では階段をかきます。階段は、多くのコマンドを使い分け、細かい線をたくさんかく必要があります。ここでは作図のポイントのみ示すので、ご自身で作図にチャレンジしてください。練習ファイル「基本ドリル平面図07.jww」を開いて作図を開始してください。

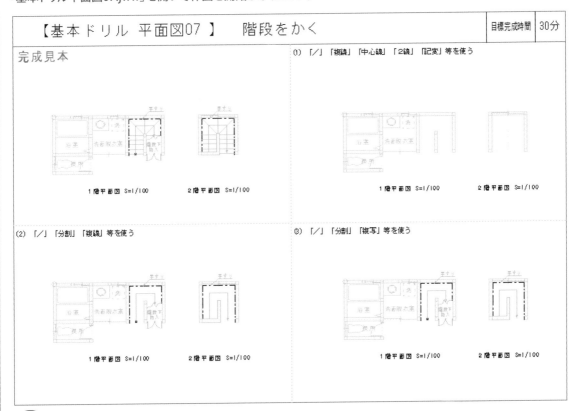

| 【基本ドリル 平面図07 】　　階段をかく | 目標完成時間 | 30分 |

完成見本

1階平面図 S=1/100　　2階平面図 S=1/100

(1) 「／」「複線」「中心線」「2線」「記変」等を使う

1階平面図 S=1/100　　2階平面図 S=1/100

(2) 「／」「分割」「複線」等を使う

1階平面図 S=1/100　　2階平面図 S=1/100

(3) 「／」「分割」「複写」等を使う

1階平面図 S=1/100　　2階平面図 S=1/100

練習ファイル 「ドリル図面」フォルダ ►「基本ドリル建築図面」フォルダ ►「基本ドリル平面図07.jww」

➡ 作図のポイント

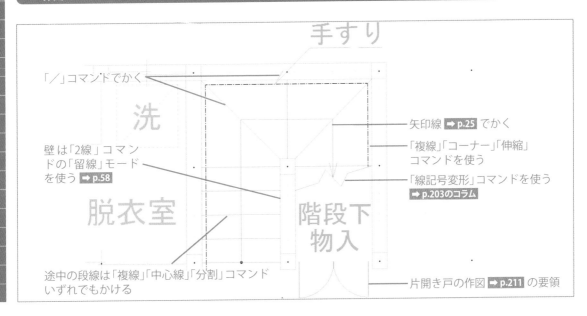

手すり

「／」コマンドでかく

洗

矢印線 ➡ p.25 でかく

壁は「2線」コマンドの「留線」モードを使う ➡ p.58

「複線」「コーナー」「伸縮」コマンドを使う

「線記号変形」コマンドを使う ➡ p.203のコラム

脱衣室

階段下物入

途中の段線は「複線」「中心線」「分割」コマンドいずれでもかける

片開き戸の作図 ➡ p.211 の要領

立面図の窓をかく

「基本ドリル 立面図01 立面図の窓をかく」では、例として南立面図の窓をかきます。平面図との位置を正確に揃える必要があるため、平面図を上の余白部分に置き、通り芯（基準線）や壁の線、柱の断面線などを相互に利用して整合させます。ここではドリル項目（1）の作図ポイントを示します。（2）（3）は作図済みの線と使用するコマンドを手掛かりに完成させてください。練習ファイル「基本ドリル立面図01.jww」を開いて作図を始めてください。

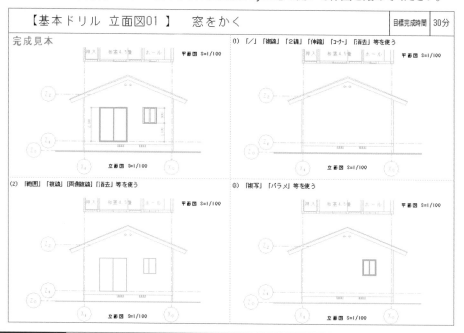

● **練習ファイル** 「ドリル図面」フォルダ ▶「基本ドリル建築図面」フォルダ ▶「基本ドリル立面図01.jww」

➡ **作図のポイント**

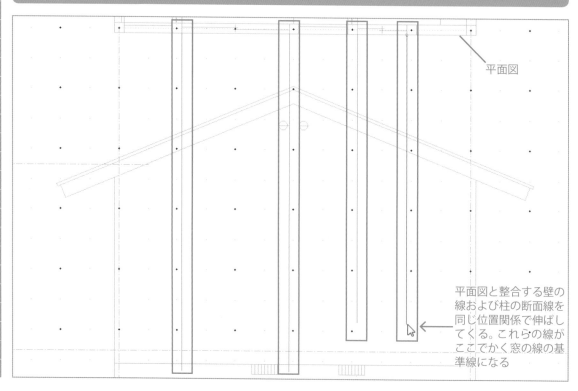

平面図

平面図と整合する壁の線および柱の断面線を同じ位置関係で伸ばしてくる。これらの線がここでかく窓の線の基準線になる

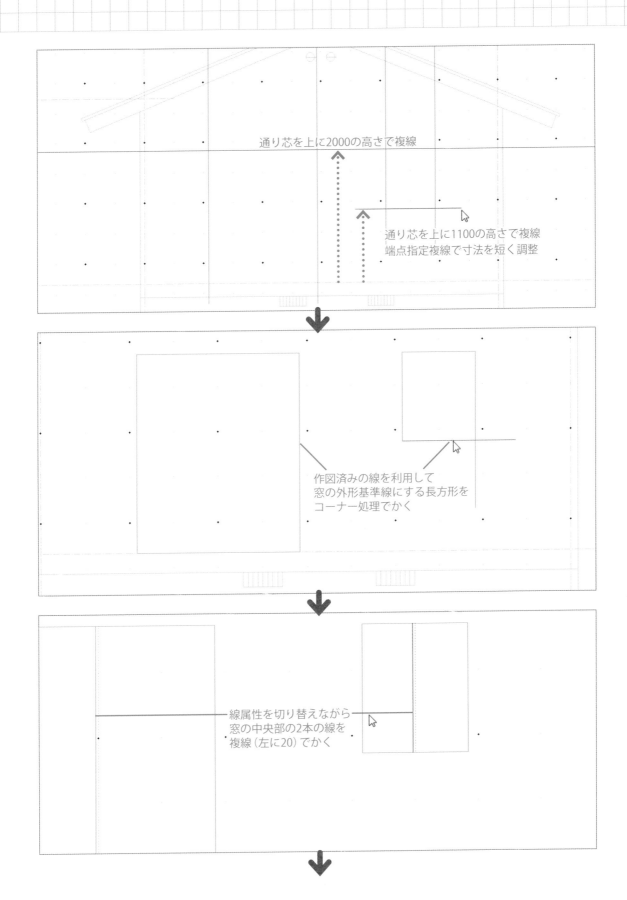

通り芯を上に2000の高さで複線

通り芯を上に1100の高さで複線
端点指定複線で寸法を短く調整

作図済みの線を利用して
窓の外形基準線にする長方形を
コーナー処理でかく

線属性を切り替えながら
窓の中央部の2本の線を
複線（左に20）でかく

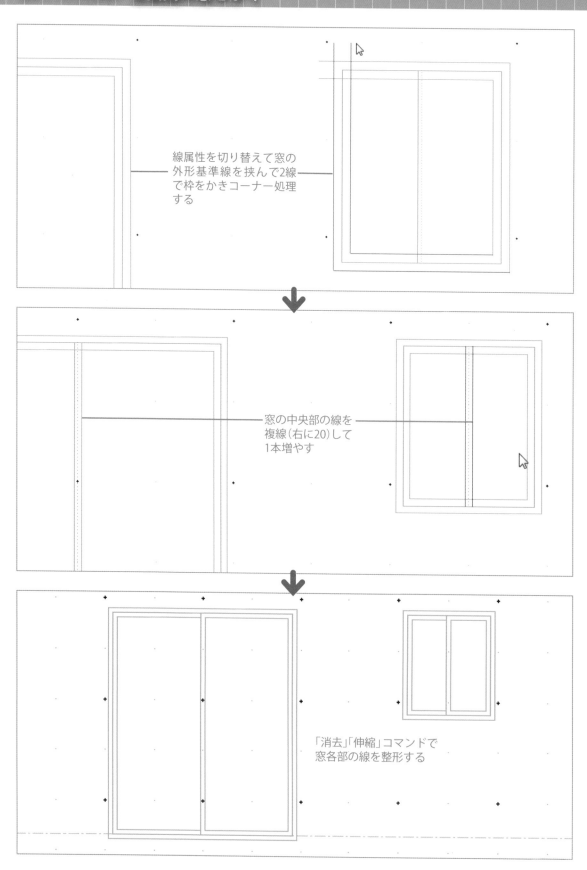

線属性を切り替えて窓の
外形基準線を挟んで2線
で枠をかきコーナー処理
する

窓の中央部の線を
複線（右に20）して
1本増やす

「消去」「伸縮」コマンドで
窓各部の線を整形する

基本ドリル立面図02 立面図の屋根をかく

「基本ドリル　立面図02　立面図の屋根をかく」では例として南立面図の屋根をかきます。ここでは、ドリル項目 (1) の作図ポイントを示します。(2)「反転」を使っての複写、(3) 切妻屋根を寄棟屋根にする例は、ご自身でチャレンジしてみてください。練習ファイル「基本ドリル立面図02.jww」を開いて作図を始めてください。

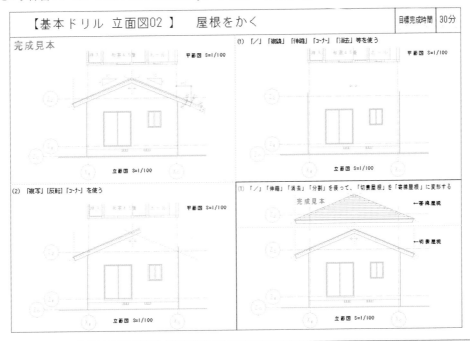

練習ファイル　「ドリル図面」フォルダ ▶「基本ドリル建築図面」フォルダ ▶「基本ドリル立面図02.jww」

➡ 作図のポイント

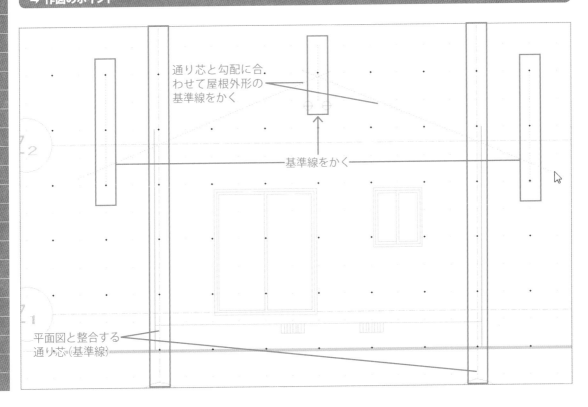

通り芯と勾配に合わせて屋根外形の基準線をかく

基準線をかく

平面図と整合する通り芯（基準線）

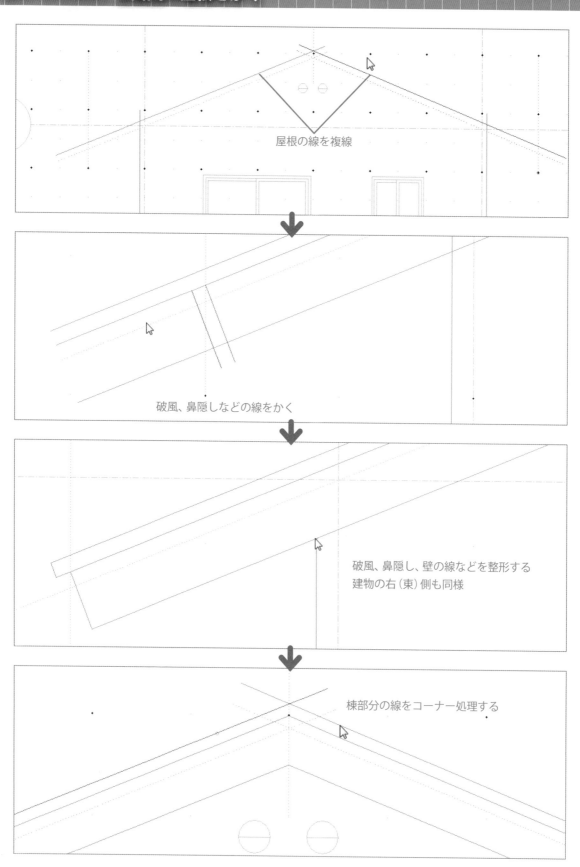

屋根の線を複線

破風、鼻隠しなどの線をかく

破風、鼻隠し、壁の線などを整形する
建物の右（東）側も同様

棟部分の線をコーナー処理する

FAX質問シート

これで完璧！ Jw_cad 基本作図ドリル ［Jw_cad 8 対応版］

以下を必ずお読みになり、ご了承いただいた場合のみご質問をお送りください。

- 「本書の手順通り操作したが記載されているような結果にならない」といった本書記事に直接関係のある質問のみ回答いたします。質問の手順が記載されたページを必ずご記入ください。「このようなことがしたい」「このようなときはどうすればよいか」など特定のユーザー向けの操作方法や問題解決方法については受け付けておりません。
- 本質問シートでFAXまたはメールにてお送りいただいた質問のみ受け付けております。お電話による質問はお受けできません。
- 本質問シートはコピーしてお使いください。また、必要事項に記入漏れがある場合は回答できない場合がございます。
- メールの場合は、書名とFAX質問シートの項目を必ずご入力のうえ、送信してください。
- ご質問の内容によっては回答できない場合や日数を要する場合がございます。
- パソコンやOSそのもの、ご使用の機器や環境についての操作方法・トラブルなどの質問は受け付けておりません。

ふりがな

氏　　名　　　　　　　　　　　　　　　　　　　　　　　　　　　年齢　　　　歳

回答送付先（FAX またはメールのいずれかに○印を付け、FAX 番号またはメールアドレスをご記入ください）

FAX・メール

※送付先ははっきりとわかりやすくご記入ください。判読できない場合は回答いたしかねます。電話による回答はいたしておりません。

ご質問の内容　　※ 例）186 ページの手順 5 までは操作できるが、手順 6 の結果が別紙画面のようになって解決しない。

【 本書　　　　　　ページ　～　　　　　　ページ 】

ご使用のパソコンの環境　　　　※ パソコンのメーカー名・機種名、OS の種類とバージョン、メモリ量、ハードディスク容量など質問内容によっては必要ありませんが、環境に影響される質問内容で記入されていない場合は回答できません。

著者紹介

櫻井 良明（さくらい よしあき）

一級建築士、一級建築施工管理技士、一級土木施工管理技士。
1963年、大阪府生まれ。
1986年、福井大学工学部建設工学科卒業。
設計事務所、ゼネコン勤務、山梨県立甲府工業高等学校建築科教諭、日本工学院八王子専門学校テクノロジーカレッジ建築学科・建築設計科教員などを経て、現在、山梨県立甲府工業高等学校専攻科建築科教諭。
長年にわたりJw_cadによる建築製図指導を続けていて、全国のさまざまな建築設計コンペなどで指導した生徒を多数入選に導いている。

著書

『Jw_cadでかんたんにつくれる建築模型』（エクスナレッジ）
『Jw_cad建築施工図入門[Jw_cad8対応版]』（エクスナレッジ）
『Jw_cad 建築詳細図入門』（エクスナレッジ）
『いちばんわかる建築製図入門』（エクスナレッジ）
『高校生から始めるJw_cad 建築製図入門[RC造編] [Jw_cad8対応版]』（エクスナレッジ）
『高校生から始めるJw_cad建築製図入門[Jw_cad8対応版] 』（エクスナレッジ）
『高校生から始めるSketchUp木造軸組入門』（エクスナレッジ）
『高校生から始めるJw_cad土木製図入門[Jw_cad8.10b対応]』（エクスナレッジ）
『Jw_cad で学ぶ建築製図の基本[Jw_cad8対応版]』（エクスナレッジ）
『高校生から始めるJw_cad製図超入門[Jw_cad8対応版] 』（エクスナレッジ）
『高校生から始めるJw_cad建築構造図入門』（エクスナレッジ）
『高校生から始めるJw_cad建築プレゼン入門[Jw_cad8対応版]』（エクスナレッジ）
『建築製図 基本の基本』（学芸出版社）
『図解 建築小辞典』（共著、オーム社）
『新版 建築実習1』（共著、実教出版）
『二級建築士120講 問題と説明』（共著、学芸出版社）
『直前突破 二級建築士』（共著、学芸出版社）

ホームページ ：「建築学習資料館」　　 http://ags.gozaru.jp/
ブログ 　　　：「建築のウンチク話」 http://agsgozaru.jugem.jp/

これで完璧！ Jw_cad 基本作図ドリル ［Jw_cad 8対応版］

2023年7月13日　初版第1刷発行

著　者　櫻井 良明

発行者　澤井 聖一
発行所　株式会社エクスナレッジ
　　　　〒106-0032　東京都港区六本木7-2-26
　　　　https://www.xknowledge.co.jp/

問合せ先
編集　p.239の「FAX質問シート」を参照してください。
販売　Tel 03-3403-1321 ／Fax 03-3403-1829